Mythologies

NIDHOGG, LE SERPENT
DU MONDE SCANDINAVE

HAPY,
DIEU ÉGYPTIEN DU NIL

GUANYIN, DÉESSE BOUDDHIQUE
CHINOISE DE LA MISÉRICORDE

ISHTAR, DÉESSE MÉSOPOTAMIENNE
DE L'AMOUR

LE HÉROS GREC HÉRACLÈS AMÈNE
LE SANGLIER D'ÉRYMANTHE
AU ROI EURYSTHÉE TERRIFIÉ

JANUS, DIEU ROMAIN
DES COMMENCEMENTS

Mythologies

PERSONNAGES & LÉGENDES
DU MONDE ENTIER

Philip Wilkinson

Sélection
du Reader's Digest

LE HÉROS GREC THÉSÉE
POURSUIT LE BRIGAND SINIS

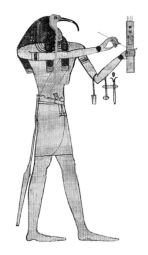

ASHUR, DIEU AILÉ PROTECTEUR
DE LA CAPITALE ASSYRIENNE

THOT, DIEU ÉGYPTIEN
DE L'ÉCRITURE

UN LIVRE DORLING KINDERSLEY

MYTHOLOGIES
est l'adaptation française de
ILLUSTRATED DICTIONNARY OF MYTHOLOGY
réalisé par Dorling Kindersley Limited, Londres

ÉDITION ORIGINALE
DORLING KINDERSLEY
DIRECTION ÉDITORIALE : Jayne Parsons
DIRECTION ARTISTIQUE : Gill Shaw
SECRÉTARIAT DE RÉDACTION : Maggie Crowley
FABRICATION : Kate Oliver
ICONOGRAPHIE : Mariana Sonnenberg
COUVERTURE : Mark Richards, Simon J.M. Oon

ADAPTATION FRANÇAISE
BOOKMAKER
COORDINATION : Régine Ferrandis
TRADUCTION : Anouk Journo, Barthélémy de Lesseps
CONSULTANT : Florence Maruéjol
LECTURE-CORRECTION : Catherine Lucchesi
MISE EN PAGES : Pierre-Louis Ferrandis

Sous la direction de l'équipe éditoriale
de Sélection du Reader's Digest :
DIRECTION ÉDITORIALE : Gérard Chenuet
RESPONSABLE DE L'OUVRAGE : Philippe Leclerc
LECTURE-CORRECTION : Catherine Decayeux
FABRICATION : Frédéric Pecqueux

Nous remercions Catherine Cailleux pour la couverture
et Anne Cadet pour la relecture-correction

ASCLÉPIOS ET SA FILLE HYGIE, DIVINITÉS
GRECQUES DE LA MÉDECINE ET DE LA SANTÉ

BAAL, DIEU CANANÉEN DE L'ORAGE,
DE LA PLUIE ET DE LA FERTILITÉ

RAMA, SEPTIÈME AVATAR DE VISHNU

PARASHURAMA, SIXIÈME AVATAR DE VISHNU

KRISHNA, HUITIÈME AVATAR DE VISHNU

SOMMAIRE

LA FÉROCE KALI, TERRIFIANTE
DÉESSE HINDOUE

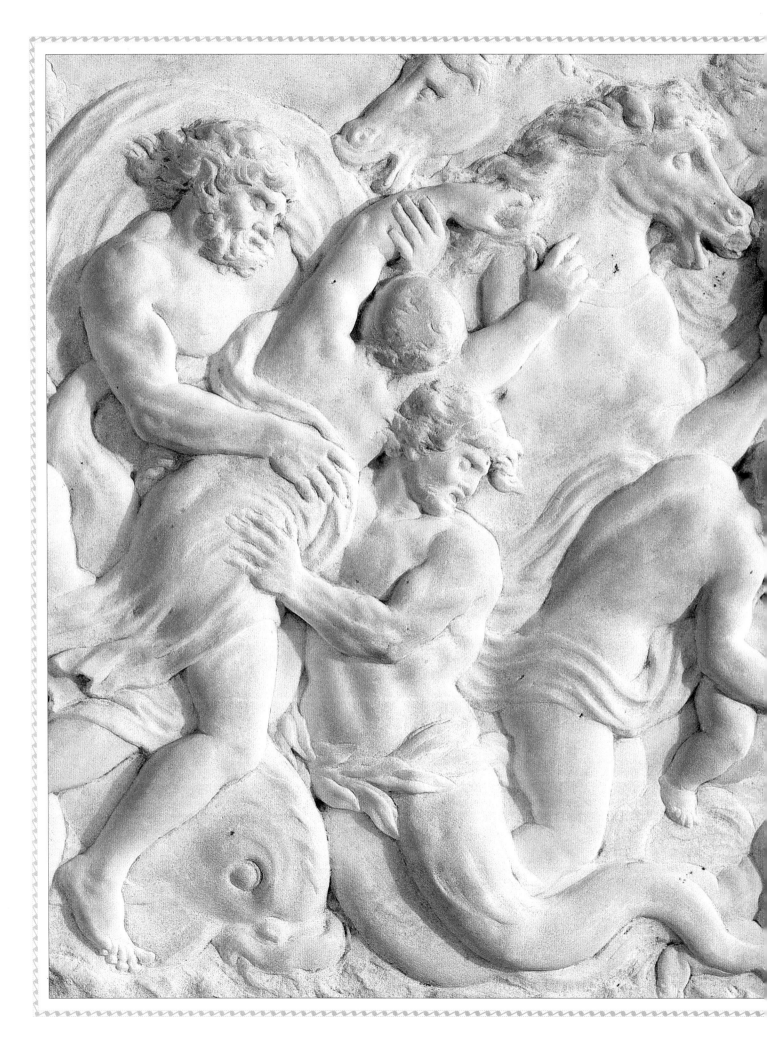

INTRODUCTION

Sans cesse repris et enrichis au fil des générations, les mythes, toujours existants, nous ramènent aux origines du monde et de l'humanité. À travers le globe, en Asie, en Afrique, en Amérique, en Europe et en Océanie, d'innombrables conteurs ont relaté les épopées des héros aventureux, les exploits des dieux et des êtres surnaturels pour tenter d'expliquer la création et le chaos, la vie et la mort.

LES MYTHES ET LA RELIGION

Depuis des temps immémoriaux, les peuples du monde se transmettent des mythes, récits à la fois fabuleux et familiers. Avant l'avènement de l'électricité, de la radio et de la télévision, seule leur narration permettait de meubler régulièrement les longues veillées. Parfois, ces histoires ont servi de fondement à des religions qui, comme le shintoïsme ou l'hindouisme, les ont conservées jusqu'à nos jours. D'autres appartiennent à des civilisations disparues de l'Antiquité, comme celles de l'Égypte ou de l'Empire romain.

THÈMES ÉTERNELS

Création du monde, naissance de l'homme, voyages épiques, combats des dieux, destruction du cosmos, déluge, dieu perturbateur et quête héroïque font partie des thèmes communs au monde entier, de l'Islande à l'Afrique, de la Californie à la Chine. Patrimoine vivant, les mythes se rangent parmi les plus belles histoires jamais racontées.

UN ENFANT
MEXICAIN REJOUE
LE MYTHE DE L'HOMME-JAGUAR

MYTHES DE LA CRÉATION

Des phases de la Lune à l'origine de l'humanité et de la formation des canyons au scintillement des étoiles, les mythes de la Création décrivent comment s'est forgé l'Univers et expliquent pourquoi il a pris son aspect. En général, ces récits s'ouvrent par le chaos originel, conçu comme le vide ou comme un océan infini. De ce néant émergent un créateur ou un couple d'êtres primordiaux qui façonnent le cosmos, ordonnent le mouvement des astres et créent la terre, souvent à partir de la boue qui recouvre le fond de l'océan. Les créateurs cèdent ensuite la place à d'autres divinités, qui poursuivent leur œuvre en donnant naissance aux plantes, aux animaux et à l'homme.

En pêchant dans la mer, Thor, le dieu nordique du Tonnerre, a ferré le serpent du Monde.

Sur cette ancienne peinture rupestre de l'île de Pâques, un dieu à tête d'oiseau tient l'Œuf cosmique entre ses griffes.

L'ŒUF COSMIQUE

Avant l'apparition de l'Univers, les divinités ou les forces primordiales attendent, inertes, l'heure de la création. Les mythes les décrivent enfermées à l'intérieur d'un immense Œuf cosmique dont l'enveloppe se brise le moment venu. Une moitié de la coquille forme le ciel, l'autre la terre. De l'œuf émergent les créateurs, qui donnent la vie aux autres dieux ou à l'homme. Les Chinois, les Aztèques, les Dogon d'Afrique et divers peuples de Polynésie ont en commun le mythe de l'Œuf cosmique, qui comporte de multiples variantes. Alors qu'en Chine le créateur Pan Gu ne survit pas à l'effort accompli pour séparer le ciel et la terre, en Nouvelle-Zélande, Rangi et Papa, le Ciel et la Terre maoris, continuent à exister et créent les dieux et les hommes.

LE SERPENT DU MONDE

Les forces colossales mises en œuvre lors de la création de l'Univers sont parfois attribuées à un puissant monstre mythique tel que le serpent du Monde. Dans les anneaux de cet immense reptile qui rampe au fond de l'océan bouillonne l'énergie créatrice. D'après un mythe égyptien, c'est sous la forme d'un serpent qu'Amon a fécondé l'Œuf primordial. Le serpent du Monde peut aussi couver l'Œuf cosmique, à l'instar du serpent Ophion dans la Grèce archaïque. On peut aussi citer le serpent Arc-en-ciel, commun à certaines mythologies africaines et australiennes, créateur de bêtes, de mers et de cours d'eau. Dans l'hindouisme, Vishnu repose sur le serpent Ananta lorsqu'un lotus surgit de son nombril. En s'ouvrant, la fleur donne naissance au dieu créateur Brahma.

En se servant de son pied comme appât, le dieu aztèque Tezcatlipoca a trompé le monstre de la Terre, une sorte de serpent. Blessé après avoir mangé le pied du dieu, la créature n'a pu rejoindre sa demeure au fond des eaux. La Terre est ensuite née de son corps.

LA FORMATION DU COSMOS

Le premier acte de la création – éclosion de l'Œuf cosmique ou naissance du créateur primordial – est souvent rapide. La suite du processus dure généralement beaucoup plus longtemps. Elle concerne plusieurs générations de divinités composant les vastes panthéons qui résident dans le ciel. L'apparition des cours d'eau, des océans, des plantes et des animaux rend la terre habitable par l'homme. Dans de nombreuses mythologies, le cycle de la création se répète sur une longue période. Chez les Aztèques et les Indiens d'Amérique du Nord, plusieurs âges se succèdent, au cours desquels le monde est indéfiniment recréé avec de légères variantes. Les actes de la création ont engendré une grande variété de représentations mythologiques de l'Univers. Pour les Scandinaves, le cosmos est un grand frêne, Yggdrasil, qui relie plusieurs mondes dont Asgard, celui des dieux, et Midgard, celui des hommes. En Afrique noire, où des mythes expliquent aussi l'apparition de l'Univers, les points cardinaux – dont chacun est associé à un élément, l'eau, la terre, le feu et l'air – jouent souvent un rôle important. En Égypte, le dieu Atoum vient à l'existence en sortant d'une étendue d'eau inerte.

Dans la cosmogonie aztèque, les points cardinaux correspondent à des symboles et à des couleurs. L'est, par exemple, est associé au rouge, à la vie et à la fertilité. Au centre se dresse Xiuhtecuhtli, le dieu du Feu, dont les flammes ont donné naissance au cosmos.

En Grèce ancienne, Gaia, la Terre, est née du chaos comme son fils Ouranos, le Ciel. Ils ont enfanté les fleuves, les arbres, les plantes et les Titans. Ils ont également fait naître les Cyclopes de la roche et du feu.

LE PEUPLEMENT DE LA TERRE

L'être humain arrive relativement tard dans le processus de la création. Son existence semble presque secondaire comparée aux œuvres majeures que sont la formation de l'Univers et la naissance des dieux. La création de l'homme est, en général, un acte accompli délibérément par les dieux et souvent décrit comme une activité humaine familière. Ainsi, bien des divinités africaines façonnent les premiers hommes avec de la glaise, tout comme les potiers. Les mythologies chinoises et mésopotamiennes décrivent de la même manière la naissance du premier homme. Mais il arrive aussi que cet acte soit présenté comme un accident, comme le résultat d'une autre action divine. Dans la mythologie égyptienne, par exemple, l'homme naît des larmes que le dieu solaire Atoum verse lorsqu'il retrouve ses enfants, Shou et Tefnout, qui avaient disparu. D'après un troisième type de récit, l'espèce humaine surgit de la Terre. Chez les Indiens d'Amérique du Nord, les hommes émergent à la surface de la Terre à partir du monde souterrain où ils vivent. Pour les Grecs, le premier homme, Pélasgos, sort du sol d'Arcadie.

La déesse chinoise Nu Wa possède une tête humaine et un corps de serpent. Elle a créé le premier être humain à son image en le modelant avec de la terre.

DIEUX ET DÉESSES

Toutes les mythologies ont leur panthéon. Cet ensemble de dieux et de déesses varie considérablement d'une culture à l'autre. Soit les dieux descendent du même couple divin, auquel cas ils sont tous parents, soit ils ont des géniteurs différents qui ont eux-mêmes été créés par une ou plusieurs divinités suprêmes. Quelle que soit leur forme, humaine, animale ou hybride, les dieux et les déesses présentent de nombreux points communs. Ils sont souvent spécialisés dans un domaine, comme la guerre ou l'agriculture. Ou alors ils veillent sur une partie du cosmos ou sur une région. Ils se comportent en général comme les êtres humains, mais à une échelle différente. Comme eux, ils connaissent l'amour, l'amitié, les conflits, la jalousie.

Cette statuette de pierre anatolienne, vieille de 8 000 ans environ, représente peut-être la Grande Déesse de l'ancienne Turquie.

LA GRANDE DÉESSE

Parmi les plus anciennes statues mises au jour par les archéologues figurent des effigies féminines à l'opulente poitrine, considérées comme des portraits de la Grande Déesse. Parfois appelée la Terre Mère, souvent associée à la Lune, cette déesse de la Fécondité est l'un des créateurs du monde et la gardienne de sa fertilité.

DIEUX DU SOLEIL ET DE LA PLUIE

Les premiers hommes ne s'expliquent pas les phénomènes climatiques dont dépend largement leur survie. Si le soleil brille quand il faut, l'abondance est au rendez-vous. Si la sécheresse sévit, les récoltes sont anéanties et la famine menace. Dans la mesure où l'on rend les dieux responsables du vent, de la pluie et de la foudre, le meilleur moyen d'obtenir un temps favorable et des greniers pleins est de leur faire des offrandes. Dans la plupart des cultures, il existe des dieux de la Pluie, du Soleil ou du Tonnerre. Dans les régions chaudes, comme l'Égypte ou l'Amérique du Sud, le dieu solaire l'emporte sur tous les autres. Dans les contrées peu arrosées, telles que le sud-ouest des États-Unis, les dieux de la Pluie jouent un rôle majeur. Avec sa voix grondante qui déchire les cieux, le dieu du Tonnerre jouit aussi d'un grand pouvoir. Zeus, qui a la foudre pour emblème, est le Dieu suprême du panthéon grec. Thor, le dieu nordique du Tonnerre aux colères effrayantes, combat les géants avec une rare vigueur.

Démiurge et Grande Mère, la déesse égyptienne Neith est aussi considérée comme une déesse de la Guerre.

Chandra, dieu hindou de la Lune, traverse le ciel dans un char tiré par des oies.

Tara, la déesse hindoue de la Mer, secourt les marins menacés de faire naufrage. Elle change de couleur selon son humeur. Calme, elle est verte ou blanche ; courroucée, elle vire au bleu, au rouge ou au jaune.

DIEUX DE LA TERRE ET DE LA MER

Bien des dieux sont à l'origine de simples divinités locales, veillant sur un lieu précis. Ils voient ensuite leur notoriété s'étendre, ou bien leurs mythes se combiner à ceux de dieux ayant le même type de personnalité ou établis dans des régions voisines. Les collines, les montagnes, les lacs, les cours d'eau, les forêts et les autres sites naturels ont leurs divinités attitrées. Leur prestige et leur importance varient selon le type de société et la géographie. Les peuples d'Europe centrale, par exemple, redoutent les esprits de la forêt, qui les égarent, ou ceux des torrents et des lacs, qui attirent les imprudents dans leurs profondeurs. Les Grecs, marins par excellence, accordent beaucoup de pouvoir à Poséidon, le dieu de la Mer.

FERTILITÉ ET FÉCONDITÉ

Les dieux et les déesses de la Végétation, censés rendre les champs fertiles et les récoltes abondantes, sont très répandus dans les sociétés agricoles. Parfois, ces divinités sont liées aux dieux du Soleil et de la Pluie, mais le plus souvent elles ont une existence indépendante. Certaines, comme la Femme Maïs des Plaines nord-américaines ou Shen Nong, le dieu chinois des Moissons, ont enseigné l'agriculture à l'homme. D'autres, telles que Perséphone, dont les allées et venues entre les Enfers et la terre correspondaient au rythme des saisons, jouent un rôle essentiel dans l'agriculture. D'autres encore, comme le dieu anatolien Telibinu, empêchent les plantes de se développer en disparaissant brutalement.

Sous son aspect de protecteur de l'agriculture, le dieu aztèque Quetzalcoatl est chargé de cinq épis de maïs.

AMOUR, MARIAGE ET NAISSANCE

Nouer des liens durables et élever des enfants est l'un des traits caractéristiques de l'humanité. Aussi les divinités de l'amour comptent-elles parmi les plus populaires. Aphrodite en Grèce, Hathor en Égypte et Ishtar en Mésopotamie sont adorées avec ferveur. Éros en Grèce et Kama en Inde déclenchent la passion amoureuse en décochant leurs flèches. Des déesses compatissantes, comme l'Égyptienne Thouéris et la Slave Mokoch, aident les femmes en couches.

Éros (Cupidon chez les Romains), l'impitoyable dieu de l'Amour, provoque le désir sans se soucier des conséquences de ses actes. Signe de sa cruauté, il est souvent représenté chassant ou brûlant un papillon.

HÉROS ET TRICKSTERS

Forts et courageux, capables de se métamorphoser ou de réaliser des exploits extraordinaires, les héros et les tricksters (ou truqueurs) se rangent parmi les personnages les plus populaires de la mythologie. Ils sont le plus souvent de sexe masculin. Toutefois, chez les Indiens d'Amérique du Nord, il existe des héroïnes qui, comme Lakota, initient les hommes aux rituels religieux. Les héros, mortels ou immortels, descendent parfois d'un dieu ou d'une déesse et d'un être humain. Leurs prouesses influent sur la vie de leurs semblables. Ils fondent des tribus ou des cités, y introduisent le feu et les protègent des monstres.

Le plus pur des chevaliers de la Table ronde, Galaad, dirige la quête du Saint-Graal. Au Moyen Âge, de nombreux fidèles en ont fait le symbole du Christ et un modèle de dévotion chrétienne.

Thésée tue le brigand Procuste, qui torture les voyageurs. Le héros grec étend le géant sur le lit où il découpait ses victimes et lui fait subir le même sort.

QUÊTES ET ÉPOPÉES

Le héros, qui entreprend souvent un voyage semé d'embûches, vit en cours de route de multiples aventures. L'expédition a pour but la recherche d'un endroit dangereux tel que le repaire d'un monstre ou la quête d'un objet extraordinaire, comme la Toison d'or, précieuse dépouille de bélier, ou le Saint-Graal, coupe utilisée par Jésus lors de la Cène, qui aurait recueilli son sang lors de la Passion. Héraclès et Gilgamesh descendent même aux Enfers. Jadis, ces hauts faits avaient valeur d'exemples. Les Grecs admiraient la bravoure d'Héraclès et les chrétiens du Moyen Âge la vertu de Galaad. L'*Odyssée* d'Homère et l'*Épopée de Gilgamesh*, chefs-d'œuvre de la littérature universelle, relatent les exploits de héros de ce genre.

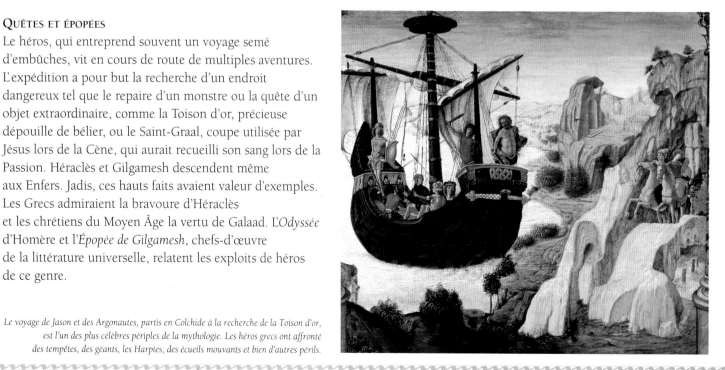

Le voyage de Jason et des Argonautes, partis en Colchide à la recherche de la Toison d'or, est l'un des plus célèbres périples de la mythologie. Les héros grecs ont affronté des tempêtes, des géants, les Harpies, des écueils mouvants et bien d'autres périls.

HÉROS GUERRIERS

De nombreux héros sont des chefs de guerre qui mènent leur peuple à la victoire grâce à leur bravoure. Parmi eux figure l'Irlandais Cu Chulainn, chef de l'Ulster, qui défait les armées du Connacht, et Énée, qui triomphe de Turnus, le roi des Rutules, et qui unit les peuples du Latium avant de se marier et de donner naissance à la lignée des fondateurs de Rome. Ces deux héros sont devenus des personnages emblématiques, cités en exemple par les chefs d'armée qui galvanisent leurs troupes avant le combat. La plupart de ces héros ont une personnalité assez simple. Ils sont bons, honorables et toujours valeureux. Quelques-uns, comme le prince hindou Arjuna, ont un caractère plus complexe. Vaillant guerrier et archer émérite, il n'aime pas tuer. Il ne veut pas massacrer ses cousins, ses amis. Mais Krishna lui rappelle que la mort n'est qu'apparente et que l'âme est éternelle. Quant à Ulysse, il n'est pas seulement courageux, il est aussi rusé. C'est grâce à son ingéniosité que les guerriers grecs pénètrent dans la ville de Troie, cachés à l'intérieur d'un gigantesque cheval de bois et qu'ils s'emparent de la cité après un siège qui a duré dix ans.

Le prince indien Vasudeva montre sa dévotion à Krishna en se jetant dans le bûcher funéraire du dieu, qui gagne le ciel après sa mort terrestre.

L'archer Arjuna bénéficie du soutien de Krishna dans son combat contre les Kaurava, ses cousins. Le prince ne veut pas les tuer, mais le dieu lui dit : « Remplis ton devoir de guerrier et ne crains pas de tuer, car je leur ai déjà donné la mort. »

TRICKSTERS

Dans de nombreuses sociétés, le héros qui a fondé une tribu ou qui a apporté aux hommes les techniques de base est aussi un trickster, c'est-à-dire un esprit malin et rusé. Le trickster occupe une place de choix dans les mythologies d'Amérique du Nord, d'Afrique et d'Océanie. Souvent représenté sous la forme d'un animal ou d'un oiseau, il joue des tours à ses ennemis. Le récit de ses duperies n'est pas seulement amusant, il se double d'un aspect sérieux. Le trickster met ses talents au service de causes importantes pour l'humanité. Il terrasse les ennemis des hommes ou il dérobe des éléments vitaux comme le feu. Mais le héros malin s'amuse aussi aux dépens des hommes et même des dieux. Ses mauvaises plaisanteries ont cependant leur utilité : elles apprennent aux hommes à supporter les malheurs de l'existence.

De l'ouest des États-Unis au Mexique, Coyote est à la fois un héros civilisateur et un célèbre trickster, qui prend des formes différentes. Dans certains mythes, Coyote, qui a participé à la Création, apporte aussi la mort aux hommes.

MONSTRES MYTHIQUES

*Jigoku, l'enfer du shintoïsme japonais, est peuplé
de démons qui tourmentent leurs victimes.*

Créatures marines, elfes et géants, les légendes évoquent de nombreux êtres mythiques. Certains habitent une région de la Terre. Les monstres à écailles et nageoires ont les mers pour royaume, alors que les nains de la mythologie scandinave résident au cœur de montagnes dont ils extraient les minéraux. D'autres créatures fabuleuses ont des parents aussi étonnants que la roche, l'air ou le feu. Ces monstres représentent en général un danger pour les hommes, mais, comme les dragons chinois, ils sont parfois bienveillants.

LES GÉANTS

Lourds et massifs, les géants jouent souvent un rôle actif dans la création du monde, tels Ymir en Scandinavie ou Pan Gu en Chine. D'autres, comme les Titans et les Cyclopes de la Grèce, sont venus à l'existence avant les dieux, mais ils n'ont pas pris part à la Création. Lorsque les divinités apparaissent, il n'est pas rare qu'elles dépouillent les géants de leur pouvoir. Les Cyclopes ont été exilés dans les entrailles de la Terre par leur père Ouranos qui en avait peur. Les elfes et les géants d'Europe du Nord luttent constamment contre les dieux, et ils les volent. En attendant de se venger des divinités, d'autres géants se contentent de tourmenter les humains sans méfiance.

*Dans les mythes des Kwakiutl, Indiens de la côte nord du Pacifique, l'ogresse Tsonoqa enlève
les enfants, mais elle se trahit souvent par son sifflement.*

*Sculptée sur un panneau de bois ornant une maison, cette sirène
russe entourée de végétation évoque davantage une déesse
de la Fécondité qu'un démon terrorisant les marins.*

LES SIRÈNES

Chez les marins d'Europe circulent des histoires de sirènes, créatures mi-femmes, mi-poissons demeurant sous les eaux. Elles se montrent aux hommes pour les ensorceler avec leurs chants et les entraîner vers la mort. Comme elles ne peuvent survivre longtemps à la surface de l'eau, elles retournent vite dans leur luxueux monde sous-marin où elles retrouvent les tritons, leur contrepartie masculine. La vue d'une sirène était, disait-on, le signe d'un naufrage imminent. Les démons grecs mi-femmes, mi-oiseaux et la belle Aphrodite, déesse de l'Amour surgie de l'écume, se rattachent aussi au mythe des sirènes.

MONSTRES MARINS ET DRAGONS

Bien d'autres animaux fabuleux hantent les mers. Beaucoup de mythes de la Création mettent en scène un serpent géant tapi au fond de l'Océan primordial. Certains de ces monstres survivent à la Création, et deviennent un objet d'effroi et d'émerveillement pour les marins. Ces reptiles s'accouplent à d'autres créatures pour engendrer des êtres hybrides à tête de lion et à queue de serpent, ou à tête d'aigle et à corps de crocodile. Les plus répandus de ces monstres sont les dragons, dont la forme varie selon les mythologies. En Orient, les dragons sont bienveillants. En Chine, ils apportent le bonheur, la prospérité et la fécondité. Lors des fêtes du nouvel an chinois, nombreux sont ceux qui se déguisent en dragon. En Europe, ces créatures sont beaucoup plus effrayantes. Elles crachent du feu sur ceux qui s'approchent des trésors dont ils sont les gardiens jaloux.

En Chine, le dragon est une créature bénéfique : il apporte le bonheur, la pluie, le printemps et la fécondité. C'est aussi un emblème impérial. Cette effigie de dragon ornait la robe d'un haut dignitaire.

Scylla, monstre marin femelle, était à l'origine une belle nymphe grecque. Elle a été changée en une créature hideuse portant une ceinture de têtes de chien par la nymphe Circé, jalouse de sa beauté. Scylla se nourrit de phoques, d'oiseaux, de poissons… et de marins.

En Chine, le mythique Qilin personnifie la Justice. Il frappe les coupables de sa corne et laisse partir les innocents.

ELFES, NAINS ET ESPRITS MALINS

Ni hommes ni dieux, les membres de cet ensemble disparate sont des créatures fascinantes qui sèment généralement le désordre chez les hommes. Parmi eux se rangent aussi bien les nymphes grecques que les esprits malins d'Europe centrale, à qui l'on reproche de briser la vaisselle ou de faire du bruit pendant la nuit. Ce sont fréquemment des esprits liés à un cours d'eau, à un lac ou à une forêt. Les nains et les elfes ressemblent à des hommes en réduction. Dans l'Europe du Nord, les nains, connus pour leur sagesse, sont des mineurs et des orfèvres accomplis qui habitent sous la terre et ne supportent pas la lumière du soleil. Parfois trublions, ils sont fidèles en amitié. Les elfes, plus fluets, déclenchent la panique dans les foyers en échangeant les bébés au berceau, en contaminant le bétail ou provoquant des cauchemars. En Amérique du Nord, les Indiens possèdent de petits esprits malins, parfois serviables, comparables aux nains. Les fées d'Europe et les lutins d'Irlande se rapprochent, quant à eux, des elfes.

ANIMAUX ET PLANTES

Rapaces planant dans les airs ou reptiles rôdant à fleur d'eau, les animaux ont toujours étonné les hommes par la faculté qu'ils ont d'investir des lieux qui leur sont inaccessibles. Les taureaux, les grands félins ou les serpents les ont aussi impressionnés par leur force, leur férocité ou leur talent de chasseur. Il n'est donc pas surprenant que les dieux et les déesses aient souvent revêtu une forme animale, et que beaucoup de peuples aient accordé aux animaux de grands pouvoirs. Des créatures terrifiantes comme l'Oiseau-Tonnerre des Indiens d'Amérique du Nord ou le jaguar divinisé de l'ancien Mexique sont très éloignées des hommes, dont elles exigent cependant le respect. Nombre de mythes montrent, au contraire, que la nature est très proche de l'homme. Les ancêtres des aborigènes d'Australie ont adopté une forme animale. Dans certaines régions d'Afrique et d'Amérique centrale, chacun est censé posséder son double animal.

Sobek, le dieu-crocodile de l'Égypte ancienne, est le maître des étendues d'eau.

LE POUVOIR DES OISEAUX ET DES ANIMAUX

Certaines civilisations, émerveillées par les pouvoirs et la diversité des bêtes, ont donné une forme animale à beaucoup de leurs divinités. À la fin de la préhistoire, entre 4000 et 3000 avant J.-C., les Égyptiens vénérèrent les forces naturelles sous la forme d'un animal, comme le crocodile Sobek. Vers 2700 avant J.-C., ils adoptent également des divinités hybrides, à tête d'animal et corps d'homme. En Afrique noire et en Amérique du Nord, de nombreux peuples considèrent que les éléments du monde naturel ont un esprit. Les divinités animales, qui abondent dans ces tribus, vont des génies malins, comme Lapin, Coyote ou Tortue, aux divinités du Vent et de l'Orage telles que l'Oiseau-Tonnerre. Certaines créatures, présentes dans les diverses mythologies du globe, font partout l'objet des mêmes associations. La déesse-Terre prend souvent la forme d'une vache et elle est vénérée pour son lait nourricier. L'océan est représenté par un serpent, animal à la fois puissant et dangereux, qui évoque les monstres toujours prêts, selon les premiers marins, à provoquer de fortes vagues pour les faire chavirer. Les dieux du Ciel sont généralement des oiseaux. Mais le taureau, au mugissement grondant, a aussi été élevé au rang de divinité céleste.

Chez les Indiens d'Amérique du Nord, il est souvent question de l'Oiseau-Tonnerre, divinité de la Foudre, de la Pluie et du Feu, et Dieu créateur. Ce masque est l'œuvre des Kwakiutl, tribu de la côte nord du Pacifique.

Admiré pour sa force et ses talents de chasseur, le jaguar a été vénéré par la plupart des peuples précolombiens du Mexique, à commencer par les Olmèques.

MI-HOMME, MI-ANIMAL

Des êtres hybrides mi-hommes, mi-animaux apparaissent dans de nombreux mythes.
Monstres effrayants, ils sont doués de pouvoirs surnaturels. Ils peuvent faire usage
de leur connaissance du monde animal et transmettre ce savoir unique à d'autres dieux
ou aux mortels. Dans l'ancienne Grèce, ces êtres hybrides, dont fait partie le centaure
Chiron, sont réputés pour leur sagesse. Ils ont aussi le don de guérir ou de prédire
l'avenir.

L'HOMME ET L'ANIMAL

Parmi les mythes les plus dramatiques figurent ceux qui ont pour thème les relations
entre l'homme et l'animal. Ce dernier est souvent un monstre dont il faut délivrer
le monde. D'autres bêtes, étonnantes ou douées de pouvoirs magiques, donnent envie
aux hommes et aux héros de les posséder. Plusieurs des douze travaux d'Hercule,
ou Héraclès chez les Grecs, consistent à terrasser des bêtes, dont un sanglier
et un taureau. La relation entre l'homme et l'animal est parfois plus sereine. Pour beaucoup

La capture du Taureau de Crète compte parmi les douze travaux d'Hercule. Le roi de Crète Minos sacrifie à Poséidon tout ce qui vient de la mer, sauf le taureau, surgi des flots, qu'il garde pour lui-même.

de peuples d'Amérique
et d'Australie, il y a eu
une époque à laquelle ont vécu
les animaux qui sont
nos ancêtres, et un temps
où les hommes et les bêtes ont eu
le même rang et ont parlé la même
langue. Des mythes du Nord-Ouest
américain décrivent la bonne entente
des hommes et des ours polaires, et relatent
même le mariage d'une femme et d'un ours.

Ce serpent à deux têtes est un ornement aztèque représentant le dieu de la Pluie, Tlaloc. Comme la pluie, ce reptile a toujours été associé à la fécondité.

ARBRES ET PLANTES

Les forêts sont des lieux obscurs et mystérieux
habités par des esprits accusés d'égarer les gens.
Si un individu s'attaque à un arbre, les génies gardiens, comme les hamadryades ou les nymphes des bois
de la Grèce ancienne, lui infligent un lourd châtiment. Un prince de Thessalie a ainsi été
condamné à souffrir éternellement de la faim après avoir abattu un bosquet d'arbres.
Le caractère magique des arbres va bien au-delà de ces anecdotes. Pour
les Scandinaves, le cosmos tout entier s'organise autour du frêne
géant Yggdrasil. De plus petites plantes, comme le riz
ou le maïs, jouent aussi un rôle essentiel dans
la mythologie. Ces plantes, qui incarnent la vie
même pour les sociétés agraires, ont leurs propres
dieux et déesses. Les paysans célèbrent des rites
en leur honneur aux périodes cruciales du cycle
de la végétation, celles des semailles
ou des moissons par exemple. Ces cérémonies
témoignent de l'immense prestige dont
jouissent les divinités qui veillent sur
des plantes comme le maïs,
les céréales, la vigne, le lotus
ou la grenade.

Le maïs revêt une telle importance pour le Pérou ancien qu'on lui donne parfois une forme humaine.

La fleur de lotus est présente dans les mythologies égyptienne et indienne. Ici, Varuna, le roi des serpents Naga, est assis sur une fleur de lotus soutenue par des serpents.

Y A-T-IL UNE FIN ?

Le monde disparaîtra-t-il un jour ? Que se passe-t-il après la mort ? Le paradis et l'enfer existent-ils ? Les mythes répondent à ces questions cruciales par des récits sur l'âme, l'au-delà et la fin du monde. La perspective de la mort est effrayante, mais on peut la frôler et en réchapper. On ne compte plus les divinités et les héros qui ont ressuscité, comme le dieu mésopotamien Tammuz, et les héros qui sont revenus des Enfers, comme Orphée. Les mythes relatent la vie des âmes dans l'autre monde ou leur réincarnation ici-bas. Le cosmos connaît une évolution similaire. Si le monde disparaît, il renaît avec de nouveaux dieux afin que la vie continue.

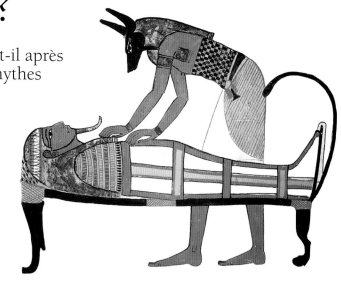

Anubis, le dieu égyptien à tête de chien, préside à l'embaumement, le rituel funéraire le plus important de l'Égypte ancienne.

L'AU-DELÀ

De nombreux mythes racontent le voyage de l'âme vers l'autre monde. Ce voyage, souvent périlleux, est une sorte d'épreuve. Si l'âme réussit à vaincre les obstacles, elle parviendra dans l'au-delà. Les peuples anciens enterrent leurs morts avec des objets et des denrées afin de faciliter leur vie future. Ceux qui n'ont pas mené une vie juste encourent des châtiments. Chez les Égyptiens, les morts sont jugés. Leur cœur est placé sur une balance face à la plume de la justice. S'il est lourd de péchés, l'organe fait chuter le plateau de la balance. Son propriétaire est alors donné en pâture à la déesse Amam, la Grande Dévorante. Dans la tradition japonaise, Jigoku, l'enfer aux seize régions, réserve une punition aux coupables. Ceux qui n'ont pas fait le mal bénéficient en général d'un bon traitement dans l'au-delà. Les héros sont très bien accueillis. Chez les Scandinaves, ils rejoignent Odin au Walhalla et ils festoient en sa compagnie. Chez les Grecs et les Romains, ils gagnent le paradis des Champs Élysées. En Afrique, la conception de l'au-delà est souvent bien différente. On le considère comme le lieu où les esprits des morts attendent de se réincarner sur terre sous une autre forme.

Dans cette représentation de l'enfer bouddhique japonais, on voit le miroir qui reflète les mauvaises actions et la balance qui pèse les âmes des morts. On arrache la langue aux menteurs.

Matsya, le poisson avatar de Vishnu, sauve Manu, le premier homme, du Déluge.

Tonatiuh, le dieu solaire aztèque, porte sur le dos une forme qui représente un tremblement de terre. Les Aztèques croient que le Cinquième Soleil, l'ère actuelle, se terminera par un séisme.

CATASTROPHES UNIVERSELLES

Les histoires de catastrophes permettent aux hommes de comprendre les tragédies qui les frappent, incendies ou inondations par exemple. Le récit d'un Déluge qui engloutit la terre est présent partout dans le monde. La Mésopotamie, l'Inde, la Chine, le Mexique et l'Australie ont raconté à leur façon cette fatale inondation. Le drame a souvent pour origine l'inconduite des hommes, qui provoque le courroux des dieux. Seul un élu – comme le héros mésopotamien Utnapishtim ou Manu, le premier homme en Inde – échappe au flot dévastateur en construisant une arche. Les catastrophes sont dues aussi à des forces telles que le feu ou les tremblements de terre. Les Hindous, les Chinois et les Indiens d'Amérique du Nord évoquent des incendies cosmiques. Le feu purifie l'Univers, chasse le mal et rend le monde meilleur.

Sur cette plaque viking, deux loups dévorent le ciel. Ils participent à la destruction du monde qui surviendra lors de l'ultime bataille, le Ragnarök.

UN ÉTERNEL RECOMMENCEMENT

La fin du monde résulte souvent d'une catastrophe cosmique, causée par le feu, un déluge ou la guerre. Mais elle ne signifie pas la fin de la vie. Des cendres ou des ruines surgit un nouveau monde. Un autre cycle de vie commence. La mythologie nordique offre un excellent exemple de ce processus. Au cours du Ragnarök, l'ultime bataille entre les géants et les divinités, la plupart des dieux anciens trouveront la mort. Mais un nouvel ordre universel et un nouveau panthéon les remplaceront. Parfois le cycle de la destruction et de la renaissance de l'Univers se répète indéfiniment. Les Aztèques vivent à l'ère du Cinquième Soleil, qui a succédé aux quatre Soleils précédents, détruits par les jaguars, par un ouragan, par une pluie de feu et par une inondation. Des mythes des Indiens d'Amérique du Nord racontent aussi la destruction du monde par les dieux, qui provoquent des cataclysmes. En Inde, les cycles de la mort et de la renaissance s'étendent sur une très longue période. Les récits de ce genre aident les hommes à accepter les catastrophes naturelles en les replaçant dans le contexte, plus vaste, du cosmos. Ils entretiennent aussi en eux l'espoir qu'un monde meilleur naîtra de ces calamités.

Entre la destruction de l'ancien monde et la création du nouveau, le dieu indien Vishnu repose avec sa femme Lakshmi sur le serpent Ananta, figure de l'éternité.

PROCHE-ORIENT

Les premières civilisations se sont développées, vers 5000 avant J.-C., dans cette partie de l'Asie située entre le Tigre et l'Euphrate que l'on appelle la Mésopotamie. Les peuples de cette région – Sumériens, Babyloniens, Assyriens – ont fondé des cités, des religions, inventé l'écriture et composé des mythes.

HOMMES ET DIEUX

Les mythes de Sumer décrivent un monde harmonieux où les dieux, qui contrôlent la vie sur la Terre, sont servis par les hommes. Les mythologies de Babylone et de l'Assyrie, plus récentes, mettent en scène les mêmes divinités, avec des noms différents, et présentent un monde plus turbulent. Elles posent des questions sur la vie, l'immortalité et la cause des catastrophes naturelles. En Perse domine la lutte du Bien et du Mal, incarnée par des dieux jumeaux, Angra-Mainyu, le destructeur, et Ahura-Mazda, le maître de la Lumière.

GILGAMESH VAINC UN LION

MYTHE ET HISTOIRE

Certains mythes mésopotamiens sont inspirés de faits réels. Ainsi, l'*Épopée de Gilgamesh* se réfère aux inondations catastrophiques du Tigre et de l'Euphrate.

DIEUX DE SUMER ET DE BABYLONE

SUMER	BABYLONE	SUMER	BABYLONE
An	Anu	Inanna	Ishtar
Enki	Éa	Nanna	Sin
Enlil	Enlil	Utu	Shamash

MYTHES DE LA CRÉATION EN MÉSOPOTAMIE

Les grandes civilisations de Mésopotamie nous ont transmis plusieurs récits de la Création. Les tablettes d'argile sur lesquelles ils étaient consignés ayant été en partie brisées ou perdues, certains récits demeurent incomplets. Tout commence avec la Mer primordiale. Elle est incarnée à Sumer par la déesse Nammu, et à Babylone par le couple divin, Apsû, l'Eau douce, et Tiamat, l'Eau salée. Les deux civilisations font sortir leurs principaux dieux de cette étendue d'eau originelle. Après avoir créé la Terre et le ciel, ces divinités façonnent l'humanité, préposée à leur service. À Babylone, le dieu Marduk joue un rôle essentiel dans la naissance du monde.

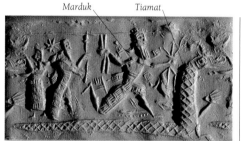

Marduk *Tiamat*

TIAMAT

La déesse Tiamat, représentée en dragon femelle, incarne l'Eau salée et le chaos originel. Elle fonde une dynastie de dieux avec Apsû, qui sera ensuite tué par Éa. Tiamat venge sa mort en lançant des monstres terrifiants contre le coupable. Marduk, le fils d'Éa, réussit à tuer Tiamat. Une moitié de son corps sert à former le Ciel, l'autre la Terre.

AN (ANU)

Pour les Sumériens, le dieu du Ciel est An, le fils de Nammu. Pour les Babyloniens, il s'appelle Anu et il est le descendant d'Apsû et de Tiamat. D'après le *Poème du supersage,* le dieu Anu et ses fils Éa et Enlil ont tiré leurs royaumes au sort. Il a gagné le ciel, et ses fils la mer et la Terre. Dieu suprême de l'Univers, An vit retiré dans le ciel et il sait tout. Juge impartial des dieux et des hommes, il est respecté pour son équité. Il est aussi le gardien du Pain et de l'Eau de la vie éternelle, qui rendent les dieux immortels.

AN, DIEU DU CIEL

NAMMU

Chez les Sumériens, la Mer primordiale est la déesse Nammu. Son nom s'écrit d'ailleurs avec l'idéogramme qui désigne la mer. Décrite comme « la Mère qui a donné naissance au Ciel et à la Terre », elle enfante Ki, la déesse de la Terre, et An, le dieu du Ciel.

LAHMU

De l'union de Tiamat et d'Apsû sont nés des couples divins, de plus en plus puissants. Le premier est formé de Lahmu et de Lahamu, qui engendrent la génération suivante, constituée par Anshar et Kishar, horizons du Ciel et de la Terre. Parfois dépeint comme un serpent, Lahmu est aussi figuré sous forme humaine. Cette sculpture est une représentation assyrienne tardive du dieu.

APSÛ

Au commencement étaient Apsû, l'Eau douce, et Tiamat, l'Eau salée. Les eaux d'Apsû entouraient la Terre, qui ressemblait à une île. Des sources d'eau fraîche bouillonnaient à la surface du sol. Apsû, entité mâle, s'unit à Tiamat pour engendrer les premiers dieux et déesses babyloniens. C'est d'eux que descendent Anu, père d'Éa, lui-même géniteur du Dieu suprême, Marduk.

KI

Ki, la Terre, n'apparaît que dans les listes des noms des dieux associés à la formation de l'Univers. Elle ne fait l'objet d'aucun culte, et semble n'être qu'une création artificielle des prêtres visant à donner une contre-partie féminine au dieu du Ciel An. Dans une liste, Ki est la fille de Nammu et la mère de la première génération de dieux, enfantée avec le dieu du Ciel.

LE LION, ANIMAL SACRÉ D'ISHTAR

Enlil

ENLIL

Chef du panthéon sumérien, Enlil est le dieu de la Terre et de l'Air. Après avoir séparé le Ciel et la Terre, il a engendré l'humanité et il lui a donné la houe et la charrue afin qu'elle cultive la terre. C'est lui qui choisit les rois et veille à la prospérité de leurs sujets.

LE LION

Le lion est l'animal sacré d'Ishtar, déesse babylonienne de l'Amour, de la Fécondité, de la Fertilité et de la Guerre. Des effigies du fauve ornaient la voie processionnelle d'Ishtar à Babylone. Fille d'Anu ou d'Éa, Ishtar est identifiée à la planète Vénus, étoile du Matin et du Soir. Les Sumériens l'appellent Inanna.

NANNA

Après avoir été prise de force par Enlil, Ninlil, la déesse des Moissons, a conçu le dieu de la Lune Nanna. Pour expier sa faute, Enlil a été envoyé aux Enfers, où Ninlil l'a suivi. C'est là qu'elle a mis au monde son fils, qui a pour emblème un croissant de lune. Avec son père, Nanna fixe le destin des morts lors de la nouvelle lune. D'après un mythe, son éclipse mensuelle est due aux forces démoniaques qui l'attaquent.

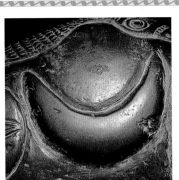

LES GÉNIES ET LES DÉMONS

De nombreux dieux mésopotamiens veillent sur les mortels. Ainsi, juste avant le Déluge, Éa a conseillé à Utanapishtim de construire un bateau pour sauver l'humanité. Les protecteurs des hommes les plus populaires sont les génies ou esprits gardiens, divinités secondaires qui éloignent le Mal et délivrent les messages des dieux. Les génies sculptés à l'entrée des temples et des palais se présentent sous la forme de créatures hybrides mi-hommes, mi-bêtes. Ce sont souvent des taureaux ailés à tête d'homme, et parfois des hommes à tête d'aigle. Il existe aussi des démons mi-hommes, mi-lions.

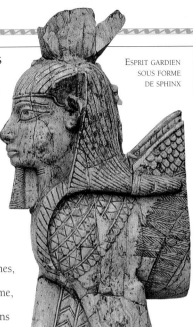

ESPRIT GARDIEN SOUS FORME DE SPHINX

Utu | Disque solaire, emblème d'Utu | Adorateur

UTU (SHAMASH)

Fils des dieux sumériens Nanna et Ningal, Utu (Shamash en Babylonie) est le dieu du Soleil et de la Justice. Chaque jour, il sort de la montagne par la porte de l'Est, il traverse le ciel sur son char, puis il s'enfonce à nouveau dans la montagne. La nuit, il parcourt le monde souterrain en sens inverse afin de resurgir au matin par la porte de l'Est. Ses rayons représentent ses jugements. Ils brûlent les coupables ou ils forment un filet qui prend au piège les mécréants. Dans le mythe sumérien du Déluge, qui dure sept jours et sept nuits, Utu apparaît dans une barque et ramène la lumière après l'orage.

NINMAH

Ninmah est l'un des nombreux noms de la déesse mère. Dans le mythe d'Enki et de Ninmah, elle crée les hommes pour servir les dieux. Enki, dieu de la Sagesse, lui apprend comment façonner les êtres humains avec de l'argile.

Éa, dieu de la Sagesse | La déesse ailée Ishtar | Shamash, le dieu solaire

ÉA (ENKI)

Éa, le dieu de la Sagesse, détient tous les éléments qui composent la civilisation. Ishtar, qui rend visite au dieu pour les obtenir, profite de son ivresse pour se les faire donner et les rapporte à Uruk, sa ville.

NINHURSAG

Ninhursag est une autre appellation de la déesse mère. Dans le mythe d'Enki et de Ninhursag, elle engendre une espèce végétale. Le dieu féconde celle-ci, puis la fille de celle-ci, et ainsi de suite jusqu'à ce qu'il ait créé huit espèces de plantes. Mécontente que son époux ait fixé sans elle le destin des plantes, Ninhursag les rend nocives après qu'Enki les a goûtées. À la demande d'Enlil, elle sauve Enki en créant huit divinités guérisseuses.

ANIMAL MI-SERPENT, MI-DRAGON, EMBLEME DE MARDUK

Grain produit par Ashnan

ASHNAN

Les dieux ont créé Ashnan, déesse du Grain, et son frère Lahar, dieu du Bétail, pour les nourrir. Mais cela n'a pas suffi à alimenter correctement les dieux. Ils ont donc donné naissance à l'homme.

LAHAR

Lorsque Lahar, dieu du Bétail, et sa sœur Ashnan ont été envoyés sur la Terre, celle-ci a prospéré. Enki a confié à Lahar les plantes et les animaux, et il a attribué les bœufs et la charrue à Ashnan. Enlil et Enki réconcilient le frère et la sœur après une dispute au sujet de leurs exploits respectifs.

MARDUK

Vénéré à Babylone, Marduk, fils d'Éa, est l'un des dieux créateurs. Il joue le rôle principal dans la lutte qui oppose les dieux primordiaux, Apsû et Tiamat, aux dieux plus jeunes comme Éa et Enlil. Ceux-ci ont obtenu le soutien de Marduk en lui promettant le pouvoir suprême s'il parvenait à vaincre Tiamat. Marduk a jeté le vent dans les entrailles de Tiamat, puis il l'a transpercée de ses flèches. Après avoir tué la déesse, il a formé la Terre et le Ciel avec son corps, puis il a été promu chef du panthéon babylonien.

VOIR AUSSI

ISHTAR 24
UTANAPISHTIM 25

DIEUX
ET DÉESSES 10
HÉROS
ET TRICKSTERS 12
Y A-T-IL UNE FIN ? 18

LE MONDE SOUTERRAIN

Les morts rejoignent l'au-delà, ou Grand En-bas, un monde souterrain gardé par sept portes. Au fur et à mesure qu'il franchit ces différents seuils, le défunt se dépouille de ses vêtements. Il arrive donc nu aux Enfers. Là, les âmes des morts vivent mêlées les unes aux autres dans un grand inconfort. Rares sont les trépassés qui bénéficient d'un lit ou d'eau fraîche. À la tête des divinités de l'au-delà se trouvent Ereshkigal, reine de ce monde, et son époux Nergal. Namtaru, dieu de la Maladie, et Belili, sœur de Tammuz, dieu de la Végétation, les assistent.

SUR CE SCEAU-CYLINDRE, ANZU RÉPOND DEVANT ÉA DU VOL DES TABLETTES D'ENLIL

ANZU

Anzu, dieu à forme d'oiseau et serviteur d'Enlil, dérobe à son maître, le Dieu suprême, les attributs du pouvoir – dont la Tablette aux destins – et empêche ainsi l'Univers de fonctionner. Les dieux, consternés, envoient Ninurta, dieu de la Guerre, le combattre. Aidé par les vents, Ninurta tranche les ailes de son adversaire et le tue. Puis il rapporte les attributs du pouvoir à Enlil.

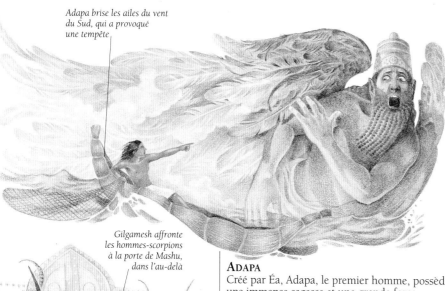

Adapa brise les ailes du vent du Sud, qui a provoqué une tempête

Gilgamesh affronte les hommes-scorpions à la porte de Mashu, dans l'au-delà

LILITH

Terrifiante déesse de la Mort, Lilith apparaît dans des récits hébreux. Mais peut-être s'agit-il du même personnage que Ninlil, décrite dans les premiers mythes mésopotamiens comme la déesse de la Fécondité, épouse d'Enlil et mère de Nanna, le dieu-Lune. Lilith, qui a la forme d'un démon, vole les enfants et les transforme en démons.

LILITH, DÉESSE DE LA MORT

ADAPA

Créé par Éa, Adapa, le premier homme, possède une immense sagesse et une grande force. Un jour qu'il pêche, le vent du Sud fait chavirer son embarcation. De colère, Adapa brise les ailes du vent, qui cesse de souffler et d'apporter les pluies. Quand Adapa est appelé par le dieu du Ciel An pour rendre compte de son acte, Éa lui conseille de s'abstenir de boire ou de manger. Adapa refuse donc la nourriture et la boisson d'immortalité que lui offre An, condamnant ainsi l'humanité à mourir.

ISHTAR

NERGAL

Nergal, représenté sous la forme d'un taureau gigantesque, est le fils d'Enlil et le dieu de la Guerre et des Épidémies. Il se rend aux Enfers pour affronter Ereshkigal, qu'il a humiliée en la personne d'un de ses serviteurs. Vaincue par ce dieu brutal, la reine du monde des morts partage son royaume avec lui et l'épouse.

TÊTE DE MASSUE DÉDIÉE À NERGAL

LES HOMMES-SCORPIONS

Les terribles hommes-scorpions gardent la porte de Mashu, la montagne où se lève et où se couche le soleil. Ils ont le pouvoir de tuer un homme du regard, sauf Gilgamesh, qui est aux deux tiers divin. Interrogé par un homme-scorpion sur les raisons de sa venue, le héros, qui pleure la mort de son ami Enkidu, répond qu'il cherche son ancêtre Utanapishtim pour lui demander le secret de la vie éternelle.

ISHTAR ET TAMMUZ

Déesse de l'Amour, de la Fécondité et de la Guerre, Ishtar a pour mari Tammuz, dieu de la Végétation. Descendue aux Enfers pour s'emparer du trône de sa sœur, Ereshkigal, la déesse Ishtar a été tuée par la reine et ressuscitée par Enki. Mais, pour quitter le monde souterrain, il lui faut désigner quelqu'un qui la remplace. Elle envoie Tammuz une moitié de l'année et la sœur de son époux, Geshtinanna, déesse de la Vigne, l'autre moitié.

ERESHKIGAL

La sœur aînée d'Ishtar, Ereshkigal, règne sur le monde des morts. Alors qu'Ishtar représente la Lumière, sa sœur incarne les Ténèbres. Les mortels ne peuvent donc pas la voir. Elle transforme toutefois des parties de son corps en monstres bien visibles, mi-vautours, mi-serpents qu'elle envoie sur terre répandre la crainte.

ÉTANA

L'ancêtre mythique des rois de Mésopotamie, Étana, a été choisi par les dieux pour régner sur terre. Ne pouvant avoir d'enfant, Étana chevauche un aigle pour aller demander à Ishtar, qui est au ciel, qu'elle lui donne la « plante qui fait enfanter ». Mais, avant d'avoir atteint son but, Étana choit de sa monture.

L'ÉPOPÉE DE GILGAMESH

Tyrannisés par Gilgamesh,
leur souverain, les habitants d'Uruk,
en Mésopotamie, supplient les dieux
de les aider. Les divinités créent
un homme sauvage, Enkidu, qu'ils
envoient soumettre le roi. Mais
il se lie d'amitié avec Gilgamesh.
Ainsi commence l'épopée, composée
vers 1700 avant J.-C., qui a pour
thème la quête de l'immortalité.

SUR CE BAS-RELIEF,
GILGAMESH TERRASSE
UN LION

GILGAMESH
ET ENKIDU
COMBATTENT LE TAUREAU CÉLESTE

HUMBABA

ENKIDU

Les dieux envoient Enkidu, un homme
d'une force et d'une vigueur
exceptionnelles, défier Gilgamesh
en combat singulier. Avant la rencontre,
le roi d'Uruk charge une courtisane
de séduire Enkidu et de le civiliser.
Les deux héros s'affrontent ensuite dans
une lutte sans vainqueur ni vaincu,
qui marque la naissance de leur amitié.
Ils partagent de grandes aventures. Pour
venger le Taureau céleste, tué par
les deux compagnons, les dieux
décident la mort
d'Enkidu, qui expire
dans les bras
de Gilgamesh.

*Avant le Déluge,
Utanapishtim
embarque
les animaux dans
son arche.*

UTANAPISHTIM

Après la mort d'Enkidu, Gilgamesh part
à la recherche de l'immortalité.
Il entreprend un long voyage pour
rencontrer Utanapishtim, le seul homme
immortel, survivant du Déluge, afin qu'il
lui livre le secret de l'immortalité. Celui-
ci révèle à Gilgamesh l'existence d'une
plante épineuse qui pousse au fond
de la mer et qui rend immortel.
Gilgamesh la cueille, mais il se la fait
dérober par un serpent. Les hommes sont
donc condamnés à mourir.

HUMBABA

Gilgamesh et Enkidu ont éliminé deux
monstres. Le premier est Humbaba,
un géant crachant du feu, abattu à coups
de hache et de glaive. Le second est
le Taureau céleste qu'Ishtar, furieuse
d'avoir été repoussée par le héros,
a envoyé tuer Gilgamesh.

GILGAMESH

Fils d'un mortel et de la déesse Ninsun, Gilgamesh est
aux deux tiers divin. Il possède une force incomparable.
D'abord tyran, il devient l'un des premiers grands héros
après avoir libéré la terre de monstres et vécu l'expérience
douloureuse de la mort de son ami Enkidu.

HADAD

Hadad, associé à la Tempête, est
le plus important des dieux syriens.
Depuis le sommet de la montagne
où il réside, sa voix résonne dans
les cieux. Il lance des éclairs qui
sèment la destruction. Mais il
apporte aussi les pluies qui
fertilisent la terre. Il a été identifié
à Baal, le dieu cananéen du Ciel.

ASHUR, DIEU
AILÉ ASSYRIEN
DE LA TERRE,
DE L'AIR
ET DU SOLEIL

ASHUR

Le Dieu suprême des Assyriens, Ashur, est le dieu
de la Terre, de l'Air, du Soleil et de la Guerre. C'est
en son honneur que l'on fait défiler les prisonniers
de guerre dans les rues. Les Assyriens ont adapté
la mythologie babylonienne pour en faire l'époux d'Ishtar.

VOIR AUSSI

AN 22
BAAL 27
ÉA 23
ENLIL 22
NANNA 23

DIEUX
ET DÉESSES 10
HÉROS
ET TRICKSTERS 12
Y A-T-IL UNE FIN ? 18

AUTRES DIEUX DU PROCHE-ORIENT

Comme la Mésopotamie, le reste de l'Asie occidentale fut le berceau de grandes civilisations. La côte orientale de la Méditerranée (occupée aujourd'hui par la Syrie, le Liban et Israël) fut jadis peuplée par les Cananéens, dont la civilisation connut son plus grand épanouissement dans la seconde moitié du IIe millénaire avant J.-C. À la même époque, les Hittites régnaient sur un vaste empire dont le cœur se situait en Anatolie. Les Perses, installés sur le territoire de l'Iran actuel, furent les maîtres d'un puissant empire entre le VIe et le IVe siècle avant J.-C. Tous ces peuples élaborèrent leur propre mythologie.

LES PERSES

Ahura-Mazda (Ohrmazd ou Ormuzd) et Angra-Mainyu (Ahriman), le Bien et le Mal sans cesse en lutte, sont les deux figures principales de la mythologie perse. Ahura-Mazda est protégé par les esprits Amesha Spenta, tandis qu'Angra-Mainyu est soutenu par les démons Daeva. Les mécréants suivent ce dernier ; les justes, eux, veulent chasser le Mal.

Ahura Mazda déploie ses ailes protectrices sur le monde

LES HITTITES

Les mythes hittites comptent des centaines de divinités. Beaucoup sont associées à la fertilité, à l'agriculture et au climat, principales préoccupations des paysans d'Anatolie.

TESHUB

Teshub, dieu de l'Orage et de la Guerre, est devenu une puissante divinité après avoir vaincu Ullikumi, le monstre engendré par Kumarbi, le père des dieux.

TELIBINU

TELIBINU

Telibinu, fils de Teshub et dieu de l'Agriculture, se cache et cause la perte des récoltes. Découvert par les dieux, il est ramené par un aigle. Les plantes germent à nouveau.

HANNAHANNA

La déesse-mère Hannahanna permet de retrouver Telibinu en suggérant aux dieux d'envoyer une abeille à sa recherche. Les dieux se moquent de son idée. Mais l'abeille trouve Telibinu endormi et le pique pour le réveiller.

HANNAHANNA

KAMRUSEPA, DÉESSE DE LA GUÉRISON ET DE LA MAGIE

KAMRUSEPA

Déesse de la Guérison et de la Magie, Kamrusepa est appelée par les dieux pour soigner la piqûre infligée par l'abeille à Telibinu. Une fois rétabli, le dieu rentre chez lui.

AHURA-MAZDA

Ahura-Mazda, dont le nom signifie « Seigneur sage », est le dieu du Ciel et de la Sagesse. Il est aussi le dieu de l'Abondance et de la Fertilité. Il a pour adversaire Angra-Mainyu. Le dieu du Feu Atar, fils d'Ahura-Mazda, a vaincu Azhi Dahâka, le dragon à trois têtes d'Angra-Mainyu. Atar bannit le monstre, qui menace de dévorer le monde. Mais le dragon est censé revenir à la fin du monde pour anéantir une partie de sa population.

ANGRA-MAINYU, DIEU DES TÉNÈBRES

YIMA

Dans la mythologie perse, Yima est le premier homme immortel. Il a été privé de la gloire divine, qui l'aidait à remplir sa fonction, et de l'immortalité après avoir perdu la foi en un pouvoir supérieur et après avoir péché. À la fin des temps, Yima reviendra peupler la Terre.

ZURVAN

Le créateur primordial Zurvan, le Temps, est androgyne. Il enfante les jumeaux Ahura-Mazda et Angra-Mainyu. Dans le ventre de son géniteur, Angra-Mainyu comprend que le premier-né sera le plus puissant. Il s'empresse donc de naître avant son frère. Mais le dieu ajoute alors que ce pouvoir ne durera que mille ans, au terme desquels le Mal sera vaincu.

ANGRA-MAINYU

Frère jumeau d'Ahura-Mazda, Angra-Mainyu est le contraire du dieu du Ciel. Il est le dieu des Ténèbres, de la Destruction, de la Stérilité et de la Mort. Il lutte contre le Bien et tente de renverser Ahura-Mazda. Il s'entoure de monstres et de fléaux tels que les tourbillons, les tempêtes et les maladies pour détruire l'œuvre de son frère, créateur du monde et de l'humanité.

ZOROASTRE

Le prophète Zoroastre (Zarathoustra), qui a vécu vers le VIIe siècle avant J.-C., a fondé le zoroastrisme, ou mazdéisme, religion dualiste qui repose sur la croyance en la lutte du Bien contre le Mal ou d'Áhura-Mazda contre Angra-Mainyu. Zoroastre serait l'auteur de certaines gâthâs, ou strophes, de l'Avesta, le texte sacré du zoroastrisme. Il exhorte à suivre Ahura-Mazda afin d'éliminer Angra-Mainyu et de faire triompher le Bien.

LE PROPHÈTE ZOROASTRE

LES CANANÉENS

En 1929, on a découvert sur le site de Ras Shamra, dans le nord-ouest de la Syrie, la cité cananéenne d'Ugarit, centre d'une brillante civilisation. Les fouilles ont mis au jour de très nombreuses tablettes d'argile, dont une partie remonte à 1350 environ avant J.-C. Certaines relatent les mythes des Cananéens.

GAYOMART

GAYOMART

Gayomart est le premier mortel. Créé par Ahura-Mazda à partir de la Lumière, il a engendré les hommes. Attaqué par Angra-Mainyu, le dieu des Ténèbres, Gayomart a répandu sa semence sur la terre avant de mourir. Elle a mis quarante ans à germer, pour donner naissance au premier homme et à la première femme, Mashya et Mashyani.

MASHYA
ET MASHYANI

MASHYA ET MASHYANI

Après leur naissance, Mashya et Mashyani se réjouissent de leur venue au monde et louent le créateur, Ahura-Mazda. Mais ils se détournent du dieu après qu'Angra-Mainyu a murmuré à leur oreille qu'il était le véritable créateur. Mashya et Mashyani, qui font ainsi entrer le Mal et le désordre dans le monde, donnent d'abord naissance à des jumeaux qu'ils mangent, puis à d'autres jumeaux qui engendrent l'humanité et les peuples de l'Iran.

MITHRA

Mithra, l'Ami, l'Allié, fils d'Ahura-Mazda, est l'un des dieux perses les plus populaires. Dieu de la Sagesse et de la Guerre, Mithra brandit ses armes et lâche son redoutable sanglier, Verethragna, sur les ennemis de son père. Également dieu du Soleil, Mithra traverse le ciel sur son char pour chasser les forces des ténèbres. Son culte connaît un grand succès auprès des Romains, qui lui sacrifient des taureaux.

Mithra sacrifie un taureau

BAAL

Divinité du Ciel et de la Pluie, Baal, le « Seigneur », est aussi le dieu de la Fertilité. Baal a vaincu Yam, le dieu de la Mer, mais il a été tué par Môt, le dieu de la Mort. Il revient à la vie pour que la terre retrouve sa fertilité, puis il apparaît et disparaît au rythme des saisons.

BAAL,
DIEU DE LA
FERTILITÉ

ASHÉRAT

Ashérat, ou encore Ashtart ou Astarté, est la déesse cananéenne de la Fécondité et l'une des épouses du dieu El. Peut-être est-elle liée aux déesses mésopotamiennes Inanna et Ishtar. Ashérat est figurée sous l'aspect d'une femme ou d'une vache. Le lait qui s'écoule de ses seins se répand dans le ciel, où il forme la Voie lactée.

ASHÉRAT,
DÉESSE DE LA FÉCONDITÉ

YAM

Dieu de la Mer et du Désordre, Yam veut régner sur la Terre. Baal, qui refuse de se soumettre, affronte le dieu et le tue avec ses armes magiques. Baal proclame ensuite sa souveraineté sur les Eaux.

SAOSHYANT

À la fin du monde, Angra-Mainyu et le Mal qu'il incarne disparaîtront. Saoshyant, le Sauveur, fils posthume de Zoroastre, viendra pour le Jugement dernier et ressuscitera les morts.

SAOSHYANT, SAUVEUR DU MONDE

EL

Père des dieux et des hommes, El est le Créateur suprême. Il a pour épouses deux déesses de la Fécondité, Anat et Ashérat. Il a engendré le panthéon cananéen. Bon vieillard qui vit loin de sa création, il est souvent représenté sur son trône coiffé de cornes de taureau, symbole de sa force.

MÔT

Dieu des Morts, associé à la stérilité, Môt a pour adversaire Baal, dieu du Ciel et de la Pluie. Leur combat, sans cesse renouvelé, explique l'alternance de la sécheresse et de la pluie.

EL,
LE CRÉATEUR
SUPRÊME

SHAPASH

Déesse solaire, Shapash est la « torche des dieux ». Elle est intervenue après la mort de Baal pour aller chercher son corps et le ramener à la vie.

AQUAT

Le mortel Aquat possède un arc figurant l'orbe céleste. Anat, la déesse guerrière, le tue pour s'emparer de l'arme. Mais l'arc gagne le monde souterrain et plonge la Terre dans les ténèbres. El, le Créateur, reprend l'arc et redonne la lumière au monde.

VOIR AUSSI

ISHTAR 24

DIEUX
ET DÉESSES 10
HÉROS
ET TRICKSTERS 12
Y A-T-IL UNE FIN ? 18

ÉGYPTE ANCIENNE

*Sur les rives du Nil, les anciens Égyptiens
ont donné naissance à une civilisation
qui a duré de la fin de la préhistoire, vers
3000 avant J.-C., à la fermeture
des temples égyptiens, à la fin
du IVᵉ siècle après J.-C. Durant cette
période, ils ont élaboré une mythologie
complexe.*

UN VASTE PANTHÉON

À l'origine, les mythes égyptiens mettent en scène des divinités locales
qui s'incarnent dans des animaux. Les bêtes traduisent l'aspect le plus
important de leur personnalité. Sekhmet, par exemple, prend la forme
d'une lionne qui symbolise sa force. Quand une région ou une ville
gagnent en importance, leurs divinités sont également promues
et elles exercent une plus grande influence.

LE DIEU SOLAIRE

Rê, le dieu solaire, divinité principale du pays,
adopte de multiples formes et noms. Rê-Horakhty,
à tête de faucon, Atoum, entièrement homme,
et Khépri, le scarabée, sont ses aspects les plus
fréquents. Le roi, ou pharaon, est considéré
comme le fils de Rê.

LE SCARABÉE, SYMBOLE
DU SOLEIL LEVANT

MYTHES ET RITES

Après la mort, les Égyptiens rejoignent l'au-delà. Le corps, élément
essentiel de la renaissance et de la survie, est préservé grâce
à la momification. Des divinités président aux rites funéraires
qui entourent cette opération. D'autres, comme Osiris, accueillent le
défunt dans le royaume des morts.

LA CRÉATION

Les prêtres de l'ancienne Égypte ont composé plusieurs récits de la Création. Pour ceux de la ville de Memphis, le créateur du monde est Ptah, le dieu local. Pour ceux d'Héliopolis, le démiurge est Atoum. Avant le commencement de la vie, Atoum (dont le nom signifie « Celui qui est indifférencié ») est présent dans l'Océan primordial, qui renferme la substance de toute la création, mâle et femelle, divine et humaine. Le premier acte du dieu est de s'éveiller par lui-même à l'existence et de se dissocier du chaos originel. Ensuite, il donne naissance en crachant, en éternuant ou en se masturbant au premier couple de dieux, Shou et Tefnout. Pour les théologiens d'Hermopolis, les forces créatrices sont quatre couples de génies serpents et grenouilles résidant dans le Noun. Ce sont eux qui ont propulsé le Soleil hors de l'Océan primordial.

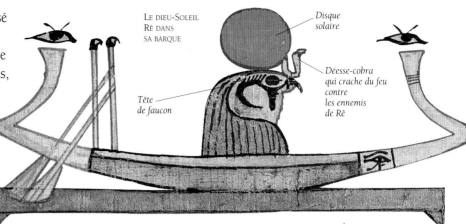

LE DIEU-SOLEIL RÉ DANS SA BARQUE

Disque solaire

Déesse-cobra qui crache du feu contre les ennemis de Rê

Tête de faucon

ATOUM
Lorsqu'il émerge de l'Océan primordial ou Noun, Atoum adopte la forme d'un serpent, appelé « Celui qui encercle le monde ». Mais il est surtout figuré sous la forme d'un homme, coiffé de la couronne blanche de Haute-Égypte. Après leur venue au monde, les enfants d'Atoum, Shou et Tefnout, disparaissent. Quand le dieu les retrouve, il verse des larmes qui se transforment en êtres humains. Atoum, le créateur, est assimilé à Rê, le dieu solaire d'Héliopolis.

LE BENBEN
Le benben est une pierre dressée dans le temple du dieu solaire à Héliopolis, qui représente la première butte de terre sur laquelle s'est posé le dieu Atoum avant de créer le monde. Elle a la forme d'un obélisque trapu dont le sommet se termine en pointe. Le benben a inspiré les pyramides, dont la construction a commencé vers 2700 avant J.-C., et les obélisques érigés à l'entrée des temples.

Shou, le dieu de l'Air, soulève Nout afin de la séparer de son frère jumeau Geb, dieu de la Terre

Nout, déesse du Ciel

TEFNOUT REPRÉSENTÉE AVEC UNE TÊTE DE BÉLIER

GEB ET NOUT
Shou et Tefnout engendrent un second couple de divinités, Geb, le dieu de la Terre, et Nout, la déesse du Ciel, qui naissent enlacés. Atoum demande à leur père de les séparer. Lorsque Shou soulève Nout, le corps de la déesse s'arc-boute et forme la voûte céleste. Les mains et les pieds de la déesse reposent sur les quatre points cardinaux. Tous les jours, le dieu solaire parcourt le ciel de l'aube au crépuscule. Le soir, il est avalé par Nout qui l'enfante chaque matin. Le corps de Nout protège le cosmos du chaos qui règne au-dessus d'elle. Lorsque Shou sépare Geb de sa sœur et épouse, il repousse Geb vers le bas, formant ainsi la terre. Geb veille sur sa fertilité.

SHOU
Créé par Atoum, Shou, le dieu de l'Air, est le père de Geb et de Nout. Il est souvent figuré sous la forme d'un homme qui soutient le ciel à bout de bras. Chaque matin, après avoir traversé le monde souterrain pendant les douze heures de la nuit, Rê renaît entre ses bras, qui incarnent l'horizon.

TEFNOUT
Déesse de l'Humidité, Tefnout est la fille d'Atoum mais aussi de Rê, puisque les deux dieux sont identifiés l'un à l'autre. Sœur et épouse de Shou, elle est la mère de Geb et de Nout. La déesse est parfois représentée sous l'aspect d'une lionne. En tant que fille de Rê, elle est aussi l'œil du dieu qui incarne le Soleil. Changée en cobra, elle s'enroule autour du sceptre du pharaon, ou elle se dresse sur son front afin de le protéger. Elle crache du feu contre ses ennemis.

Le sceptre, p'ouas, symbole de pouvoir, est l'attribut des dieux

PTAH, DIEU CRÉATEUR

NÉFERTOUM

Néfertoum est associé au Lotus bleu primordial qui a surgi du Noun en portant l'astre solaire. La fleur, qui s'ouvre le matin et se ferme le soir, évoque le cycle du Soleil. Le dieu se présente souvent comme un homme coiffé du lotus et des plumes. À Memphis, il est le fils de Ptah et de Sekhmet, la déesse à tête de lionne, et le dieu des Parfums.

NEITH

Adorée surtout à Saïs, en Basse-Égypte, et à Esna, en Haute-Égypte, Neith est l'un des rares créateurs féminins de l'Égypte pharaonique. Elle est aussi sa plus ancienne déesse. Neith, créateur androgyne, est sortie par elle-même de l'Océan primordial comme Atoum. Elle a formé l'Univers par la Parole avant de se changer en vache pour enfanter le Soleil et les hommes. Sa coiffure, formée de deux flèches entrecroisées et d'un bouclier, indique qu'elle est aussi une déesse de la Guerre.

NEITH

LE DIEU KHNOUM À TÊTE DE BÉLIER

SEKHMET

Tête de lionne

La main tenait peut-être le sceptre divin en forme de papyrus

KHNOUM

Sur l'île d'Éléphantine (dans l'actuelle Assouan), au niveau de la première cataracte du Nil, on vénère le dieu Khnoum à tête de bélier. Il a créé les dieux et les hommes en les façonnant sur son tour de potier. Il contrôle l'inondation annuelle du Nil en ouvrant les portes des cavernes d'Hapy, dieu de la Crue. Ses épouses sont Satis et Anoukis.

SEKHMET

Déesse à tête de lionne, Sekhmet est l'incarnation de l'œil du Soleil et l'instrument de sa vengeance. Rê l'envoie punir les hommes qui se sont révoltés. Mais elle dévore de telles quantités d'êtres humains qu'elle menace l'humanité de destruction. Pour l'apaiser, on lui fait boire de la bière colorée de rouge comme le sang. La déesse, ivre, se radoucit et se laisse ramener auprès de Rê sous la forme d'Hathor, déesse de la joie et de la musique.

PTAH

Ptah est figuré sous la forme d'un homme enveloppé dans un linceul et coiffé d'une calotte. Selon les prêtres de Memphis, il a donné naissance aux premiers dieux et aux hommes en les concevant d'abord dans son cœur, siège de l'intelligence, de la conscience, des sentiments et de la pensée selon les anciens Égyptiens, puis en les nommant. C'est la création par le Cœur et la Langue. Ptah est considéré comme le patron des artisans et l'inventeur des techniques. Il est aussi identifié aux dieux des morts Sokar et Osiris. Le dieu a pour épouse Sekhmet et pour fils Néfertoum. Il est adoré dans le temple qui lui est dédié à Memphis (près du Caire actuel).

L'OISEAU BÉNOU

L'oiseau Bénou est un héron à long bec et à aigrette. C'est l'une des formes empruntées par le dieu solaire, car, le matin, le volatile semble jaillir de l'eau comme le Soleil lors de la création du monde. À Héliopolis, il est vénéré dans le temple de Rê. Il est aussi un symbole de renaissance, figuré dans les livres funéraires et les tombes. Les Grecs l'ont identifié au phénix, l'oiseau qui renaît de ses cendres tous les cinq cents ans.

LE MONDE SOUTERRAIN

Après la mort, les Égyptiens rejoignent le monde souterrain, ou Amdouat, si toutefois Osiris le permet. Le dieu de l'Au-delà préside un tribunal qui décide du sort du défunt. Ce dernier s'efforce de convaincre Osiris et les quarante-deux juges assesseurs, qu'il n'a pas fait le mal durant sa vie. En même temps, il assiste à la pesée de son cœur sur une balance. Il n'est admis dans le royaume d'Osiris que si cet organe, siège de la pensée, est aussi léger que la plume de la Justice, posée sur l'autre plateau de la balance. Thot et Anubis sont préposés à la pesée.

Osiris tient le crochet et le fouet, insignes de la royauté

Isis est coiffée des cornes enserrant le disque solaire

ISIS ALLAITE HORUS, LE FILS QU'ELLE A EU AVEC OSIRIS

OSIRIS
Osiris, fils aîné de Nout et de Geb, gouverne l'Égypte avec justice et bonté. Mais Seth, qui a reçu en partage les déserts, est prêt à tout pour s'emparer du trône de son frère. Il organise un banquet au cours duquel il annonce qu'il donnera un magnifique coffre à celui qui le remplira exactement en s'étendant à l'intérieur. Le coffre s'ajuste parfaitement au corps d'Osiris, car Seth l'a fait fabriquer à ses mesures. Dès qu'Osiris est allongé, Seth et ses complices referment le coffre et le jettent dans le Nil. Isis, l'épouse d'Osiris, retrouve le corps et le cache dans les marais. Mais il n'échappe pas à la vigilance de Seth, qui pour en finir, découpe le cadavre et éparpille les morceaux à travers l'Égypte. Isis les rassemble et ramène Osiris à la vie. Mais il règne désormais sur les morts.

ISIS ET HORUS
Épouse et sœur d'Osiris, Isis part à la recherche des quatorze morceaux du corps d'Osiris que Seth a éparpillés à travers toute l'Égypte. Elle fait appel à Anubis pour confectionner la première momie, puis, avec sa sœur Nephtys, elle pousse des cris déchirants pour le réveiller. Avec son époux, elle conçoit Horus, dieu céleste à tête de faucon dont les yeux sont la Lune et le Soleil. Horus vengera son père.

Sur la tête, Nephtys porte le signe de son nom, qui signifie « Maîtresse de la maison »

NEPHTYS
Fille de Geb et de Nout, Nephtys est la sœur d'Isis, d'Osiris et de Seth. De son mariage avec ce dernier, elle n'a pas d'enfant. Selon une version tardive du mythe, relatée au 1er siècle après J.-C. par le prêtre grec Plutarque, elle aurait engendré Anubis avec Osiris. Après la mort d'Osiris, Nephtys quitte Seth et porte le deuil de son frère avec Isis. Les deux sœurs sont souvent représentées en faucons. Elles agitent leurs ailes pour ranimer les défunts. Aux enterrements, deux femmes tiennent en général leur rôle.

À la suite d'Osiris, les morts bénéficient des bons soins d'Anubis

ANUBIS PRÉPARE UNE MOMIE

ANUBIS
Anubis, à tête de chien, est le dieu de la Momification depuis qu'il a embaumé le corps démembré d'Osiris et qu'il l'a enveloppé de bandelettes. Il est aussi le gardien des nécropoles et des tombes. Il rejoint Osiris au royaume des morts afin de procéder à la pesée du cœur dans le tribunal du dieu. Il est assisté par Thot, le dieu de l'Écriture à tête d'ibis, qui note le résultat de l'opération. Dans la version tardive du mythe d'Osiris, il est le fils du dieu et de Nephtys.

SOKAR
Faucon momifié ou homme à tête de faucon, Sokar, qui a sans doute été associé à l'origine à la Fertilité, est un dieu funéraire de Memphis et de sa nécropole Saqqara. Il s'identifie à Ptah et à Osiris. Comme Ptah, il est le patron des artisans. Mais, alors que Ptah protège ceux qui travaillent la pierre et le bois, Sokar veille plutôt sur ceux qui façonnent le métal.

SETH, DIEU DU DÉSERT

HORUS, DIEU CÉLESTE

HORUS ET SETH

Horus est élevé par sa mère Isis dans les marais du Delta, à l'abri de son oncle, le redoutable Seth. Parvenu à l'âge adulte, il réclame aux dieux la royauté terrestre, son héritage légitime. Seth prétend que la fonction royale lui revient parce qu'il est plus fort et donc plus apte à défendre le dieu Rê contre le serpent Apophis pendant son voyage nocturne. Horus et Seth plaident leur cause devant les dieux, qui ne parviennent pas à les départager. C'est alors qu'ils s'affrontent. Seth blesse les yeux d'Horus, plongeant ainsi le monde dans l'obscurité. Mais la déesse Hathor les guérit avec du lait. Ce farouche combat symbolise la lutte du Bien et du Mal. Finalement, Horus triomphe de son oncle et coiffe la couronne d'Égypte. Il devient le protecteur du pharaon.

LA DÉESSE AMAM, LA GRANDE DÉVORANTE

Tête de crocodile

Crinière de lion

Arrière-train d'hippopotame

THOT

Dieu de la Lune et de la Sagesse, messager des dieux, assimilé par les Grecs à Hermès, Thot est représenté sous la forme d'un homme à tête d'ibis ou sous celle d'un babouin. Il est tantôt le fils de Seth, tantôt celui d'Atoum. L'Égypte lui doit l'invention de l'astronomie, de la géométrie, de la magie, de la médecine et surtout de l'écriture. Dans l'au-delà, Thot introduit le défunt dans le tribunal d'Osiris et enregistre les résultats de la pesée du cœur. Il est adoré dans le temple d'Hermopolis (à 350 km au sud du Caire).

Thot a emprunté sa tête à l'ibis sacré

TROIS REPRÉSENTATIONS DE MAAT

Maât est coiffée d'une plume d'autruche

L'INSIGNE DE SÉCHAT COMPREND UNE ÉTOILE À SEPT BRANCHES

MAÂT

Déesse de la Vérité, de la Justice et de l'Équilibre du monde, Maât est la fille de Rê. C'est une femme coiffée d'une plume d'autruche. Dans l'au-delà, elle veille sur le tribunal d'Osiris. La plume qui la symbolise est mise en balance avec le cœur du défunt. Si les plateaux s'équilibrent, le mort est déclaré juste. Dans le cas contraire, il est donné en pâture à Amam.

AMAM

Avec sa tête de crocodile, son corps mi-lion mi-hippopotame, Amam, la Grande Dévorante, est un monstre particulièrement redouté des Égyptiens. La déesse attend auprès de la balance le résultat de la pesée du cœur du défunt. Alors que le juste goûte les délices du paradis d'Osiris, le mécréant est donné en pâture à Amam tandis que ses biens sont distribués aux pauvres.

SÉCHAT

Déesse de l'Écriture et de la Connaissance, bibliothécaire des dieux, Séchat est la compagne de Thot. C'est une femme, vêtue d'une peau de panthère et coiffée d'un signe comportant une étoile à sept branches. Elle tient les archives royales et elle fait le compte des butins de guerre.

OUPOUAOUT

Chien dressé sur ses pattes, Oupouaout est l'« Ouvreur des chemins ». Il guide l'âme du défunt dans le monde souterrain et veille sur lui. Il est aussi posté à l'avant de la barque du dieu solaire Rê.

APOPHIS

Apophis, ou Apep, est un immense serpent qui incarne le chaos et qui est tapi dans le royaume des morts. Chaque nuit, il attaque la barque du dieu solaire, Rê, qui voyage à travers les douze régions de l'au-delà. Il menace d'avaler l'astre et de ramener le monde au chaos primordial. Les morts, conduits par Seth, réussissent à vaincre le serpent et à libérer Rê. Mais Apophis renaît et le combat recommence.

Toutes les nuits, le serpent Apophis lutte avec le dieu solaire

VOIR AUSSI

DIEUX DE LA FERTILITÉ ET À FORME ANIMALE

Dans un pays formé surtout de déserts, où les terres cultivables se concentrent dans le Delta et de part et d'autre de l'étroite vallée du Nil, et où chaque année on attend avec anxiété la crue du fleuve, les dieux responsables de la fertilité du sol, de l'irrigation et de la fécondité des habitants jouent un rôle important. À la fin de la préhistoire, au cours de la période prédynastique qui s'étend de 4000 à 3100 avant J.-C., les Égyptiens, qui côtoient de près les animaux des bords du Nil (sauvages ou non), ont eu très tôt l'idée de donner à leurs divinités l'aspect de ces créatures.

Pleine lune

La foudre, insigne du dieu

KHONSOU, DIEU LUNAIRE

MIN, DIEU DE LA FERTILITÉ

RÉNÉNOUTET
Déesse-cobra, Rénénoutet veille sur la fertilité de la terre et sur les moissons. Elle se préoccupe aussi de l'alimentation des enfants et du sevrage des nourrissons. Gardienne du pharaon, elle assure sa prospérité et veille également sur celle de ses sujets.

MESKHENET
Déesse assistant les mères lors de l'accouchement, Meskhenet est représentée sous la forme d'une femme coiffée d'une brique ou d'une brique à tête de femme. Cet attribut évoque les briques sur lesquelles les parturientes s'accroupissent pour accoucher.

BÈS
Les Égyptiens sont convaincus que la laideur peut effrayer les mauvais génies. Bès est un nain repoussant mais bienveillant, qui aime la musique et les plaisirs. Il joue d'ailleurs du tambourin ou de la harpe. Avec Thouéris, la déesse-hippopotame, il aide les femmes en couches et il éloigne le mal. Dieu très populaire, il porte bonheur aux couples et à leurs enfants. Aussi orne-t-on volontiers les maisons d'effigies de Bès.

HAPY
Hapy est le dieu de la Crue, censé vivre dans une caverne près de la première cataracte du Nil, à Assouan. Il a pour mission d'assurer la fertilité des terres, charge dont il s'acquitte en répandant des graines dans le fleuve au moment où ce dernier déborde de son lit. Les seins pendants et le ventre rond d'Hapy sont le signe de sa fécondité. Sur la tête, il porte des plantes aquatiques.

Tige de palmier

Les formes généreuses symbolisent la fertilité

BÈS, NAIN AFFREUX, ÉLOIGNE LES MAUVAIS ESPRITS

HAPY, DIEU DE LA CRUE DU NIL

KHONSOU
Dieu de la Lune, Khonsou, qui a une forme humaine, est coiffé du croissant et du disque lunaires. Pour souligner son caractère céleste, on le figure parfois avec une tête de faucon. Il doit son nom, qui signifie Voyageur, à son périple nocturne. Pendant la première partie du mois, il atteint l'âge adulte. Ensuite, il redevient un enfant.

MIN
Min, dieu de la Fertilité et de la Végétation, est figuré comme un homme gainé dans un linceul, le sexe en érection. Les rois et les prêtres offrent à Min des fleurs et de la laitue romaine, réputées aphrodisiaques, dans l'espoir qu'il apporte la fertilité à la vallée du Nil. À Thèbes, assimilé au dieu Amon il devient Amon-Min.

HATHOR
Déesse de l'Amour et de la Joie, Hathor est la protectrice des femmes, notamment des accouchées, et des amants. La déesse, figurée comme une femme coiffée de cornes de vache et du disque solaire, adopte aussi la forme d'une vache. Elle est la fille du dieu Rê, qui se change en Sekhmet la lionne dangereuse. Elle est aussi l'épouse du dieu Horus, qu'elle a allaité puis qu'elle a soigné quand il a été blessé par Seth.

THOUÉRIS
Thouéris, la débonnaire déesse-hippopotame pourvue de seins de femme, de pattes de lion et d'une queue de crocodile, assiste les femmes en couches. Comme celle de Bès, sa laideur est censée écarter les esprits malins. Les femmes enceintes portent autour du cou une amulette à l'effigie de Thouéris. Les jeunes mères conservent parfois un peu de leur lait dans un vase qui a la forme de la déesse.

Hathor

Le papyrus, plante sacrée de la déesse-vache Hathor

THOUÉRIS, PROTECTRICE DES FEMMES

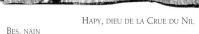

SOBEK

SOBEK, LE DIEU-CROCODILE

Le dieu-crocodile Sobek, qui est parfois le fils de Neith, représente le pouvoir du pharaon. Le reptile, avec ses mâchoires puissantes et sa rapidité, évoque les qualités que doit déployer le souverain dans la bataille. En Égypte, on adore Sobek dans diverses villes dont Crocodilopolis. Les Grecs de l'Antiquité se sont étonnés de voir de véritables crocodiles, animaux sacrés de Sobek, couverts de bijoux et momifiés après leur mort.

APIS

Le dieu Ptah de Memphis s'incarne dans le taureau Apis. L'animal est choisi selon des critères précis tels que des marques sur la langue et le pelage. Il vit dans le temple, où il fait l'objet de soins attentifs. À sa mort, le taureau est momifié, puis il est enterré en grande pompe dans une nécropole souterraine, à Saqqara. Il est déposé dans un sarcophage et entouré d'un riche matériel funéraire.

APIS, LE TAUREAU DU DIEU PTAH

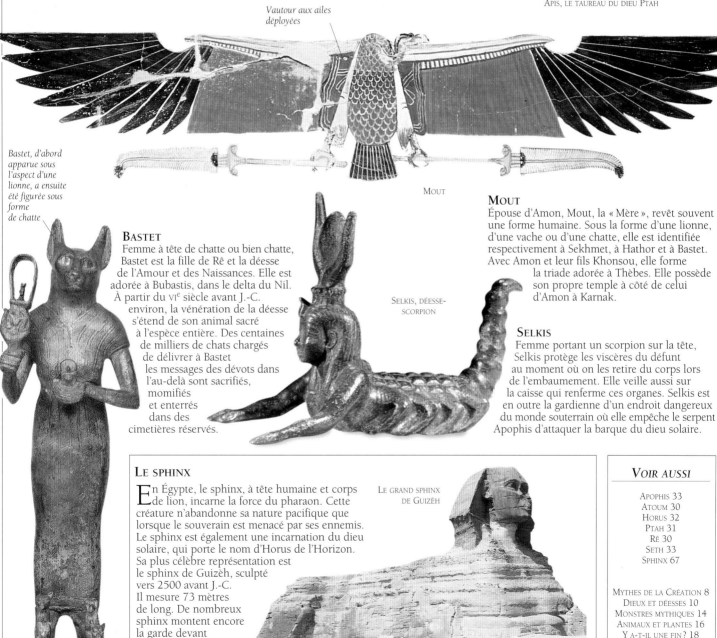

Vautour aux ailes déployées

MOUT

Bastet, d'abord apparue sous l'aspect d'une lionne, a ensuite été figurée sous forme de chatte

BASTET

Femme à tête de chatte ou bien chatte, Bastet est la fille de Rê et la déesse de l'Amour et des Naissances. Elle est adorée à Bubastis, dans le delta du Nil. À partir du VIᵉ siècle avant J.-C. environ, la vénération de la déesse s'étend de son animal sacré à l'espèce entière. Des centaines de milliers de chats chargés de délivrer à Bastet les messages des dévots dans l'au-delà sont sacrifiés, momifiés et enterrés dans des cimetières réservés.

SELKIS, DÉESSE-SCORPION

MOUT

Épouse d'Amon, Mout, la « Mère », revêt souvent une forme humaine. Sous la forme d'une lionne, d'une vache ou d'une chatte, elle est identifiée respectivement à Sekhmet, à Hathor et à Bastet. Avec Amon et leur fils Khonsou, elle forme la triade adorée à Thèbes. Elle possède son propre temple à côté de celui d'Amon à Karnak.

SELKIS

Femme portant un scorpion sur la tête, Selkis protège les viscères du défunt au moment où on les retire du corps lors de l'embaumement. Elle veille aussi sur la caisse qui renferme ces organes. Selkis est en outre la gardienne d'un endroit dangereux du monde souterrain où elle empêche le serpent Apophis d'attaquer la barque du dieu solaire.

LE SPHINX

En Égypte, le sphinx, à tête humaine et corps de lion, incarne la force du pharaon. Cette créature n'abandonne sa nature pacifique que lorsque le souverain est menacé par ses ennemis. Le sphinx est également une incarnation du dieu solaire, qui porte le nom d'Horus de l'Horizon. Sa plus célèbre représentation est le sphinx de Guizèh, sculpté vers 2500 avant J.-C. Il mesure 73 mètres de long. De nombreux sphinx montent encore la garde devant les temples égyptiens.

LE GRAND SPHINX DE GUIZÈH

INDE

Pendant des millénaires, les mythes fondateurs de l'hindouisme se sont transmis oralement. Au fil du temps, ces récits oraux se sont enrichis d'innombrables variantes qui font de la mythologie indienne, pour laquelle l'ordre naît du chaos, l'une des plus complexes du monde.

Delhi •

Himalaya

• Calcutta

INDE

• Bombay

GOLFE DU BENGALE

OCÉAN INDIEN

SRI LANKA

LES TEXTES SACRÉS

Les textes évoquant les dieux et les héros ont été rédigés en sanskrit, langue indienne ancienne. Les Veda ont été mis par écrit entre 1500 et 1200 avant J.-C., l'épopée du *Mahabharata* entre le IIIe siècle avant J.-C. et le IIIe siècle après J.-C., et celle du *Ramayana* dans les premiers siècles de notre ère. La rédaction des Purana s'est terminée au VIe siècle.

QUATRE TETES DE BRAHMA

UNE MULTIPLICITÉ DE DIEUX

De la multitude de divinités hindoues émergent quelques grands dieux tels que Brahma, Shiva et Vishnu, qui forment une triade particulièrement importante. De nombreuses déesses sont considérées comme des incarnations de la Grande Déesse Devi. Au-dessus se trouve l'entité suprême, l'Absolu, l'Unique ou Brahman.

D'AUTRES TRADITIONS

Au VIe siècle avant J.-C., deux autres religions, le bouddhisme et le jaïnisme, sont apparues en Inde. De nombreux mythes relatent la vie du Bouddha, de sa naissance miraculeuse à sa mort, accompagnée de tremblements de terre. Les adeptes du jaïnisme placent à la tête de l'Univers, représenté par un homme gigantesque, vingt-quatre prophètes ou tirthankaras.

LE BRAHMAN ET LES TROIS DIEUX

Les centaines de divinités indiennes sont dominées par la triade, qui rassemble Brahma (le Créateur), Shiva (le Destructeur) et Vishnu (le Protecteur). Ce dernier sert de médiateur entre ses deux compagnons. Ces divinités, qui jouent un rôle majeur dans la cosmologie, ne mesurent pas le temps comme les hommes. Un kalpa, c'est-à-dire un jour et une nuit de Brahma, correspond à 4,32 millions de nos années. La vie humaine, également infinie, obéit à un cycle ininterrompu qui voit se succéder création, destruction et régénération.

Entre les créations du monde, Vishnu se repose sur le serpent Ananta, qui symbolise l'éternité

LE BRAHMAN

L'hindouisme, qui offre plus de diversité qu'aucune autre religion, possède aussi une force unificatrice neutre et unique, le Brahman. Il ne s'agit pas d'un dieu, mais de l'âme de l'Univers et de l'essence de toute vie. À l'origine, le dieu créateur Brahma a été une incarnation du Brahman.

BRAHMA

Brahma, le Créateur, est né du lotus qui a éclos dans le nombril de Vishnu. Dans l'un des récits qui relatent comment il a créé le monde, Brahma a façonné une divinité qui exprimait son ignorance de ce que serait la création. Lorsque Brahma s'est défait de ce dieu, la nuit est tombée et des démons, les yakshas et les rakshasas, ont surgi. Pour contrebalancer ces pouvoirs maléfiques, Brahma a donné naissance aux dieux et aux déesses. C'est également lui qui a formé la belle Sarasvati, qui est devenue la mère de l'Univers.

BRAHMA

ANANTA

Le serpent Ananta ou « Sans fin », également appelé Vasuki ou Sesha, flotte sur l'océan et porte Vishnu sur ses anneaux. À la fin de chaque âge cosmique, sa gueule est censée cracher le feu qui détruit le monde.

PRAJAPATI

Prajapati, l'une des plus anciennes divinités de l'Inde, s'est créé lui-même en émergeant de l'Océan primordial. Lorsqu'il a vu le vide qui l'entourait, il s'est mis à pleurer. De ses larmes sont nés les continents. Il a forgé les dieux, les démons et les humains à partir de son propre corps. Au fil du temps, il a été assimilé à Brahma.

Le disque, emblème du cycle de la création et de la destruction

La massue, symbole du pouvoir

SHIVA

Shiva le Destructeur, qui sait tout, punit les fautes des mécréants. Il possède quatre bras et un troisième œil (sur le front) qui lance des flammes et sème la terreur. À la fin de chaque monde, le feu de l'œil de Shiva détruit aussi bien les dieux que les mortels. Divinité redoutable, Shiva peut aussi être protecteur. Violent ou bienveillant, actif ou pensif, créateur ou destructeur, Shiva revêt bien des formes et adopte de multiples noms.

La flamme de la destruction symbolise la renaissance

SHIVA, LE DESTRUCTEUR À QUATRE BRAS ET QUATRE VISAGES, DANSE

Le lotus indique la pureté

La conque représente l'origine de la vie

VISHNU

Troisième membre de la triade, Vishnu le Protecteur préserve l'Univers et incarne la stabilité. Selon les premiers mythes védiques, Vishnu a parcouru l'Univers en trois pas et a défini les espaces (la Terre, l'air et le ciel) qui étaient le mieux adaptés aux mortels et aux dieux. Lorsque le monde est menacé par le Mal, Vishnu apparaît sous la forme de l'un de ses avatars (ou incarnations, ou descentes) pour le protéger. L'hindouisme a retenu surtout dix de ces avatars, doués de pouvoirs particuliers. Vishnu est aussi identifié à la colonne qui soutient le ciel et le relie à la Terre.

VISHNU, PROTECTEUR DU MONDE

LES DIX AVATARS DE VISHNU

MATSYA
Avatar du Poisson, Matsya sauve Manu, le premier homme, du déluge.

KURMA
Avatar de la Tortue, Kurma porte sur son dos le mont sacré Mandara pendant que les dieux et les démons barattent la mer de Lait d'où surgissent le Soleil et la Lune.

VARAHA
Avatar du Sanglier, Varaha ramène la Terre, figurée par une femme, sur ses défenses. Un démon la retenait sous les eaux.

NARASIMHA
Avatar de l'Homme-Lion, Narasimha élimine le démon Hiranyakashipu, qui menace de tuer son propre fils, adorateur de Vishnu.

VAMANA
Avatar du Nain, Vamana se transforme en géant pour tromper le démon Bali et ses troupes qui ont conquis le monde.

RAMA
Le septième avatar est une figure majeure de la mythologie. Il est le prince du *Ramayana*, le poème épique qui décrit les exploits des incarnations de Vishnu.

PARASHURAMA
Sixième avatar, Parashurama est armé d'une hache qui lui a été donnée par Shiva. Il massacre les guerriers kshatriyas, dont Arjuna aux cent bras.

KRISHNA
Huitième avatar, il tue le démon-taureau Arishta, le démon-cheval Keshin puis Kamsa, le souverain tyrannique de Mathura. Il est vénéré comme un dieu.

BOUDDHA
Le Bouddha, dont l'enseignement est à l'origine du bouddhisme, est considéré comme le neuvième avatar de Vishnu. Il vient à bout de ses ennemis par la ruse et non par la force.

KALKIN
Le cavalier Kalkin, qui sera le dixième avatar, vaincra le mal et établira l'âge d'or.

Garuda, le Dévoreur, est représenté sous la forme d'un aigle ou d'un être mi-homme mi-aigle

VISHNU CHEVAUCHE GARUDA

Conque

GARUDA
Garuda le Dévoreur est un oiseau qui sert de monture à Vishnu. Sa tante Kadru, mère des serpents, a capturé sa mère, Vinata, qu'elle ne relâchera pas avant d'être en possession de l'élixir d'immortalité. Garuda vole vers la montagne où l'on conserve le breuvage des dieux et le rapporte à Kadru, qui relâche sa sœur. Les serpents lèchent l'herbe sur laquelle l'élixir a été répandu, mais celle-ci entaille leur langue, qui, depuis, est restée fourchue.

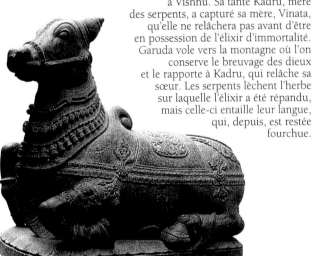

LE TAUREAU NANDIN, MONTURE DE SHIVA

NANDIN
Shiva chevauche Nandin, un taureau d'une blancheur éclatante, symbole de force et de fécondité. Shiva se jette parfois dans la bataille, monté sur Nandin, le protecteur des animaux à quatre pattes. On a souvent dressé une statue du taureau assis en face des grands temples consacrés à Shiva, de façon que Nandin puisse contempler l'image de son maître. En Inde, on considère toujours les taureaux comme sacrés à cause de leurs liens avec Shiva.

DIEUX ET HÉROS HINDOUS

La mythologie indienne fourmille de héros qui sont parfois des incarnations divines. Leurs aventures sont racontées dans des poèmes épiques où figurent également des démons tels que les nagas, les rakshasas ou les asuras. Les dieux, sans cesse menacés par ces créatures, ont décidé qu'ils voulaient être immortels. Vishnu a alors eu l'idée de fabriquer l'élixir de la vie éternelle en jetant des herbes et des pierres précieuses dans la mer de Lait et en barattant ses eaux. Les dieux, aidés des démons, ont soulevé le mont Mandara, l'ont posé sur la tortue avatar de Vishnu, puis ils ont enroulé le serpent Vasuki (Shesha) autour de lui. Pour faire tourner le mont et baratter la mer, les dieux et les démons ont tiré chacun sur une extrémité du reptile.

INDRA

INDRA
Dieu de l'Orage et de la Pluie, Indra est le roi des dieux dans les premiers mythes hindous. Il doit son pouvoir au meurtre du serpent Vritra, qui avait avalé les eaux du monde. La mort de Vritra a libéré les eaux et la mousson, et apporté la vie. Indra chevauche un éléphant.

LE DIEU DE LA CHANCE GANESHA, À TÊTE D'ÉLÉPHANT

Ganesha écrit avec la défense qui manque

AGNI, DIEU DU FEU

SKANDA
Skanda ou Karttikeya, homme à six têtes, est le dieu de la Guerre. De six étincelles jaillies des yeux de Shiva sont nés six enfants. L'épouse de Shiva, Parvati, a pressé ses fils si fort sur son cœur qu'ils n'ont plus formé qu'un corps surmonté de six têtes. Le dieu chevauche un paon et il est suivi par une grande armée.

SKANDA SUR SON PAON

AGNI
Dieu du Feu, Agni est parfois figuré avec sept bras et une tête de chèvre. Il emprunte de multiples formes, du feu à l'étincelle de l'inspiration. Agni purifie tout. C'est pourquoi les hindous brûlent leurs morts. Le dieu envoie en outre leur âme au ciel avec la fumée du bûcher funéraire.

GANESHA
Dieu de la Chance qui vainc les obstacles, Ganesha est le fils de Shiva et de Parvati. Plusieurs mythes expliquent l'origine de sa tête d'éléphant. L'un d'eux relate que Parvati a créé Ganesha à partir de lambeaux de sa peau pour lui faire monter la garde devant sa porte et écarter les importuns. La sentinelle, qui remplit sérieusement son devoir, empêche Shiva d'entrer chez son épouse. Le dieu, furieux, lui coupe la tête, puis, ému par le chagrin de Parvati, il la remplace par celle du premier animal venu : un éléphant.

ARJUNA
Fils du dieu Indra et d'une reine mortelle, Arjuna est un archer accompli. Il joue l'un des rôles principaux dans la guerre qui oppose les cinq frères Pandava, dont il est le chef, aux Kaurava, leurs cent cousins. Ce conflit est le thème principal de l'épopée du *Mahabharata*. Arjuna est aussi un penseur. Ses conversations avec Krishna sont consignées dans la *Bhagavad-Gita*.

Le serpent Shesha veille sur Vishnu

AUTEL PORTATIF CONSACRÉ AU CULTE QUOTIDIEN (OU PUJA) DE VISHNU

Vishnu   Balarama   Krishna

BALARAMA
Vishnu place deux cheveux dans le sein de la mortelle Devaki. L'un donne naissance à Krishna, l'autre à Balarama. Ce dernier est un héros doué de pouvoirs divins. Il remporte de terribles batailles grâce à ses armes extraordinaires. Mais il aime aussi s'amuser, boire et plaisanter avec Krishna.

BHARATA
Il est le fils du roi Dasharatha et de la reine Kaikeyi. Le souverain choisit Rama comme successeur, mais son épouse l'oblige à l'exiler et à le remplacer par Bharata. Il refuse le titre royal et adopte celui de prince régent. Lorsque son demi-frère revient vainqueur du démon Ravana, il lui rend son trône.

CHANDRA
Le dieu de la Lune est né pendant le barattage de la mer de Lait. On l'appelle aussi Soma, du nom de l'élixir d'immortalité. La Lune décroît car chaque jour les dieux avalent une part du soma qu'elle contient. Elle croît lorsque le dieu solaire Surya apporte de l'eau à Chandra pour restaurer ses forces.

LE *RAMAYANA*

Le *Ramayana*, poème épique hindou composé dans
les premiers siècles de notre ère, relate les aventures
de Rama, septième avatar de Vishnu et fils de Dasharatha, roi
d'Ayodhya. Après l'enlèvement de son épouse, la belle Sita,
par Ravana, le chef des démons rakshasas, Rama part à sa
recherche. Après maintes péripéties, avec l'aide de son frère
Lakshmana et du singe Hanuman,
il libère Sita et tue Ravana.

Ravana, / roi des rakshasas

LA BATAILLE DE SRI
LANKA (CEYLAN)

Lakshmana, fidèle / compagnon de Rama

Rama

RAMA

Le prince Rama est l'héritier
légitime du royaume. Mais
l'une des épouses
de son père le fait bannir
de la cour pendant quatorze
ans afin que son fils, Bharata,
règne à sa place. Sita,
son épouse, qui le suit
dans son exil, est
enlevée par le démon
Ravana. Après
l'avoir délivrée,
Rama retrouve
son trône et règne
pendant mille ans.

*Le prince
Rama*

*Sita,
l'épouse
de Rama*

*Le frère
de Rama,
Lakshmana*

*Hanuman,
le singe fidèle*

HANUMAN ADORANT RAMA

SITA

Née de la terre, elle a été élevée par
Janaka, roi de Videha. Après avoir
été arrachée à Ravana, Sita doit
prouver que sa vertu est intacte.
Elle s'offre donc au jugement
du feu. Protégée par Agni, Sita sort
indemne de l'épreuve. De nature
divine, Sita est une image
de la perfection féminine.

HANUMAN

Alors qu'il cherche son épouse,
Rama rencontre le roi des singes
Sugriva, détrôné par son demi-frère.
Rama rend son trône au roi, qui
le remercie en lui donnant
une armée de singes, conduite par
Hanuman, doué de grands
pouvoirs. Ainsi le singe franchit-il
la mer pour prévenir Sita,
prisonnière au Sri Lanka, que Rama
est sur sa piste. Le prince accède
à l'île grâce au pont bâti par les
singes. Il tue Ravana et délivre Sita.

LAKSHMANA

Le roi Dasharatha a quatre fils,
Rama, Bharata et les jumeaux
Shatrughna et Lakshmana.
Ce dernier devient le fidèle
compagnon d'armes de Rama dans
sa lutte contre Ravana. Dans
certains récits, c'est lui, et non
Rama, qui tue le roi des démons
rakshasas.

RAVANA

Le cruel roi Ravana règne sur l'île
de Sri Lanka. Les dieux, indignés
par ses agissements, envoient sur
terre le septième avatar de Vishnu,
Rama, pour le supprimer. Ravana
enlève Sita à la demande de sa
sœur Shurpanakha, démon femelle
qui a tenté en vain de séduire
Rama, et il l'emmène au Sri Lanka
dans son palais d'or. Rama détruit
le palais défendu par l'armée
des rakshasas et il libère
son épouse.

MANU

C'est le premier homme, fils de Brahma
et de Sarasvati. Dans l'un des récits
du Déluge, c'est Brahma, et non Vishnu,
qui lui conseille de construire un
bateau et d'y déposer un couple de
toutes les espèces vivantes ainsi que
des semences de toutes les
plantes. Les eaux engloutissent
la terre et déposent la nef
de Manu sur le plus haut
sommet de l'Himalaya.
Lorsqu'elles se retirent,
Manu présente aux dieux
des offrandes qui se
transforment en une
femme, appelée Parsu.
Avec elle, Manu engendre
l'humanité.

*La Roue
de la vie
contient six
royaumes
où l'on peut
renaître*

YAMA,
DIEU DES MORTS

YAMA

Dans certains mythes,
Yama est à la fois le
premier homme et le dieu
des Morts et du Monde
souterrain. Il doit cette fonction
à son père, Vivasvat, le Soleil.
Le symbole bouddhiste de la Roue
de la vie est figuré entre les bras
et les mâchoires de Yama.

NAGAS

Les nagas sont des serpents
destructeurs qui prennent la forme
de cobras. Leur mère,
Kadru, est la sœur
de Vinata, elle-
même mère de
Garuda. Ils sont
les ennemis
de l'aigle Garuda,
la monture
de Vishnu. Le chef
des nagas est
le serpent Vasuki,
avec lequel
les dieux barattent
la mer de Lait.

*Les serpents
sont
des cobras*

VASUKI
AUX MULTIPLES
TÊTES, CHEF
DES SERPENTS
NAGAS

ASURAS

Les démons asuras sont les ennemis des dieux.
Ils s'allient à eux, un temps, pour fabriquer
l'élixir d'immortalité en faisant tourner le mont
Mandara, qui baratte la mer de Lait. Les asuras
veulent s'emparer du liquide, mais les dieux
les en empêchent et deviennent seuls immortels.

LA GRANDE DÉESSE

L'hindouisme compte d'innombrables déesses, mais la plupart d'entre elles sont des formes de Mahadevi, la Grande Déesse, parfois appelée simplement Devi, la Déesse. Pour les premières cultures de l'Inde, Mahadevi est la déesse mère et l'une des forces créatrices du cosmos. Elle apporte la fertilité à la terre, mais elle exige aussi des sacrifices humains. Plus tard, l'hindouisme fait de Mahadevi la femme de Shiva. Elle se manifeste alors sous les traits bienfaisants de Sati ou de Parvati. Durga et Kali incarnent l'aspect redoutable de la divinité.

DEVI, LA DÉESSE, ÉPOUSE DE SHIVA

Devi est généralement figurée avec quatre bras

Elle danse sur l'image d'un petit animal

SHAKTI
Pour certains hindous, les déesses sont différents aspects de Mahadevi, pour d'autres, elles ont été créées par Shakti, l'énergie créatrice. Ces derniers considèrent que, quand la triade des dieux Brahma, Shiva et Vishnu s'est formée, leurs regards ont dégagé une énergie qui a engendré une entité féminine si éblouissante qu'elle a illuminé le ciel. Shakti s'est ensuite scindée en trois déesses, Sarasvati, Lakshmi et Parvati.

DEVI
Mahadevi est parfois nommée Devi, la Déesse. Elle emprunte diverses formes, dont celle de l'épouse de Shiva. En tant que femme du dieu, elle est sa contrepartie féminine. L'équilibre entre les principes féminin et masculin assure l'ordre et la justice dans le monde.

Sati se jette dans le bûcher

LE SUICIDE DE SATI

SATI
Sati, incarnation de Mahadevi et fille du dieu créateur Dakhsa, représente la Fidélité. Elle épouse Shiva contre l'avis de son père. Furieuse que Dakhsa n'ait pas invité Shiva à prendre part au sacrifice qu'il offre aux dieux, elle se jette dans le feu. Vishnu la réincarne en Parvati. Sati est le modèle des veuves qui se suicident sur le bûcher funéraire de leur mari.

Durga plonge sa lance dans le cœur du démon

Durga chevauche un lion

DURGA AFFRONTE LE ROI DES DÉMONS, MAHISHA

Mahisha, aux multiples bras, change de forme à sa guise

PARVATI ET SKANDA

PARVATI
Parvati, la réincarnation de Sati, est la fille du roi de la Montagne, Himalaya. Shiva ne prêtant pas attention à la jeune femme, Kama, le dieu de l'Amour, touche le dieu qui médite d'une de ses flèches. Shiva tombe alors amoureux de Parvati et l'épouse. De leur union naît Skanda (Karttikeya).

DURGA
Durga est l'une des incarnations les plus redoutables de Mahadevi. En tant que déesse de la Guerre, elle combat les démons qui menacent le monde. Elle écrase l'un d'eux, appelé également Durga, en se transformant en millions de soldats et en faisant jaillir de ses doigts des milliers de glaives.

KALI

Un jour, Durga est si courroucée qu'elle crée une autre divinité terrifiante : Kali surgit de son front en rugissant. La déesse a le visage noir, de grandes dents, une langue semblable à une flamme, et l'aspect d'une vieille femme. Elle est parée d'un collier de crânes et elle tient souvent une tête décapitée.

KALI LA BIENVEILLANTE
Sous son aspect de déesse cruelle et destructrice, Kali porte deux autres noms, Chandi (la Féroce) et Bhairavi (la Terrible). Parfois, elle adopte une attitude moins agressive. Dans ce cas, elle lève la main pour rassurer ses adeptes.

KALI LA BIENVEILLANTE

KALI L'IMPITOYABLE
Kali aide Durga à tuer le démon Raktabija. Il est difficile à vaincre, car il engendre d'autres démons à partir de toutes les gouttes de sang qu'il répand. Kali lèche le sang, avalant ainsi les nouveaux démons, et elle tue son adversaire. Ivre de sang, elle exécute une danse de mort.

Cobra

L'épée qui décapite les démons

Kali a parfois plus de deux bras

Chevelure emmêlée

Tête décapitée, symbole de la mort

Collier de crânes, évoquant la réincarnation

KALI L'IMPITOYABLE

LAKSHMI
Épouse de Vishnu, Lakhsmi est une déesse de la Fortune et de la Prospérité. Elle naît de la mer de Lait barattée par les dieux et en sort avec une fleur de lotus à la main. Elle accompagne Vishnu dans chacune de ses incarnations. D'une beauté parfaite, Lakshmi est en général représentée avec deux bras, parfois avec quatre.

RADHA
Jeune bergère, Radha, déesse de la Dévotion, grandit au côté de Krishna. Ils sont très épris l'un de l'autre. Leur amour reflète l'adoration des fidèles pour Krishna.

LAKSHMI, ÉPOUSE DE VISHNU

SARASVATI, DÉESSE DE LA POÉSIE, DE LA MUSIQUE, DE LA CONNAISSANCE ET DU SAVOIR

GANGA
Déesse du Gange, le fleuve sacré de l'Inde, Ganga purifie tout. Shiva lui a donné six affluents pour que sa crue ne provoque pas de dommages.

USHAS
Fille du Ciel, épouse du Soleil et sœur de la Nuit, la déesse de l'Aurore, Ushas, forme le lien entre le ciel et la Terre. Elle renaît tous les matins et parcourt le ciel sur son superbe char tiré par sept vaches.

ADITI
Les hindous adorent Aditi, mère des dieux, du Soleil, de la Lune, de la Nuit et du Jour. Elle représente la force vitale. Ses douze enfants sont identifiés aux douze mois de l'année.

Fleur de lotus

SARASVATI
Épouse de Brahma, Sarasvati a le pouvoir de créer tout ce que le dieu conçoit. Elle est la déesse des Arts plastiques et du Savoir. Elle a révélé à l'homme le langage et le sanskrit, langue des textes sacrés. Flot du savoir, elle reçoit les mots comme la mer reçoit les fleuves.

CHINE ET JAPON

*La mythologie chinoise,
élaborée par une civilisation
d'une extraordinaire
longévité, est peuplée de héros
créateurs et d'ancêtres divinisés.
Au moment de l'invention
de l'écriture, vers 1200 avant J.-C., elle est déjà bien établie.
Le Japon possède sa propre mythologie et sa religion, le shinto.*

CHINE
Beijing
(Pékin) •
Tokyo •
JAPON
Shanghai •
Guangzhou
(Canton) •
OCÉAN
PACIFIQUE

LES DIEUX CHINOIS

Les premières divinités chinoises sont des esprits de la nature
ou des âmes de mortels. Le panthéon qui se développe par la suite
prend modèle sur la société chinoise. Dominé par un empereur,
il se compose de généraux, de sages et d'une large administration. Alors
que le taoïsme fait entrer de nouveaux dieux dans les temples,

BODHISATTVA, SAGE
DU BOUDDHISME

le bouddhisme, importé d'Inde, introduit
de nouveaux mythes.

LES MYTHES JAPONAIS

La divinité japonaise la plus importante, la déesse
du Soleil Amaterasu, est considérée comme
l'ancêtre de l'empereur et l'emblème du pays
du Soleil-Levant. Il existe bien d'autres divinités
shintoïstes tels que des dieux de l'orage, des
démons et des dieux de l'au-delà. Le bouddhisme
a exercé une grande influence sur la mythologie japonaise. Certains
dieux shintoïstes sont en effet des incarnations du Bouddha.

TRANSCRIPTION DU CHINOIS

Pour transcrire l'écriture chinoise, on a utilisé ici le système pinyin,
qui est désormais le plus courant.

LES DIEUX SUPRÊMES

Parmi les innombrables divinités chinoises, seules quelques-unes jouent un rôle
essentiel dans les mythes de la Création et dans les mondes céleste ou souterrain.
Leurs effigies occupent la place d'honneur dans les temples. Là, elles côtoient les
images de divinités mineures, mais populaires. Lorsqu'ils traversent des difficultés
ou quand ils veulent émettre un vœu, les Chinois se rendent dans ces sanctuaires
pour solliciter les dieux qui se pencheront sur leurs problèmes. Ainsi, s'ils redoutent
la sécheresse, ils feront offrande à une divinité des rivières et des lacs. Bouddhisme,
confucianisme et taoïsme, ces trois croyances se sont mêlées pour forger les récits
relatant l'histoire des dieux et pour donner son originalité à la religion chinoise.

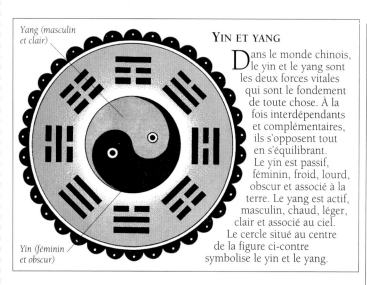

Yang (masculin
et clair)

YIN ET YANG

Dans le monde chinois,
le yin et le yang sont
les deux forces vitales
qui sont le fondement
de toute chose. À la
fois interdépendants
et complémentaires,
ils s'opposent tout
en s'équilibrant.
Le yin est passif,
féminin, froid, lourd,
obscur et associé à la
terre. Le yang est actif,
masculin, chaud, léger,
clair et associé au ciel.
Le cercle situé au centre
de la figure ci-contre
symbolise le yin et le yang.

Yin (féminin
et obscur)

NU WA
Déesse créatrice, Nu Wa veille
aussi sur la fertilité. Il y a jadis
eu un déluge auquel seuls Nu
Wa et Fu Xi, son compagnon,
ont échappé. Lorsque les eaux
se sont retirées, ils se sont
changés en serpents à tête
humaine, puis ils se sont unis
pour donner naissance
aux plantes et aux animaux.
Dans une autre version
du mythe, Nu Wa façonne
l'humanité avec de la glaise.

FU XI
D'après les mythes, Fu Xi a fondé
la Chine et a été son premier
empereur. Il a édicté les lois,
celles du mariage en particulier,
il a imaginé les noms de familles
et de clans, il a conçu
le calendrier et a enseigné
aux hommes le travail du métal.
On lui attribue aussi la fabrication
des instruments de musique
et l'invention de l'écriture
chinoise.

YI
Héros de la Chine ancienne, Yi est
un grand archer. Dix soleils brillent
dans le ciel et émettent une chaleur
intense qui brûle la terre. Yi en abat
neuf et n'en laisse subsister qu'un.

Pan Gu

LE DÉMIURGE SURGIT
DE L'ŒUF COSMIQUE

ZHANG O
EN CRAPAUD

NU WA ET FU XI

PAN GU
Le yin et le yang sont enfermés dans un Œuf cosmique. En luttant l'un
contre l'autre, ils brisent la coquille et font sortir le démiurge Pan Gu.
Lors de la naissance du dieu, le ciel et la terre s'échappent. Pan Gu, placé
entre les deux, les maintient séparés. Le dieu sculpte la Création avec
un marteau et un ciseau. Il est aidé par un dragon, un phénix, une
licorne, un tigre et une tortue. Lorsqu'il meurt, au bout de 18 000 ans,
son souffle donne naissance au vent, ses yeux au Soleil et à la Lune.

ZHANG O
Zhang O, l'épouse de Yi, rêve
de remonter au ciel
où elle vivait auparavant.
Elle dérobe l'élixir de la vie
éternelle, découvert
et ramené par son mari.
Après l'avoir bu, elle s'envole
vers la Lune afin d'en devenir
la déesse. Mais, en chemin,
elle se change en crapaud.

XI WANG MU

Xi Wang Mu, la Dame-reine d'Occident, connue aussi sous le nom de Reine-mère Wang, est la reine du Ciel et la femme de Yu Huang Shangdi. Elle vit dans un palais de jade. Les Chinois prient cette protectrice des femmes lors de la naissance des filles. C'est elle qui a donné l'élixir d'immortalité à Yi.

KUNLUN

Le paradis se trouve au centre de la Terre, au sommet d'une montagne appelée Kunlun. Elle abrite la demeure des dieux ainsi que le palais et le jardin de Xi Wang Mu.

LES PÊCHES DE L'IMMORTALITÉ

Dans le jardin de Xi Wang Mu pousse un pêcher dont les fruits rendent immortels. Le singe Sun Wukong monte au ciel et vole les pêches. Tous les dieux et les êtres célestes le combattent pour lui reprendre les fruits. Il est finalement capturé par le Bouddha.

XI WANG MU

LONG WANG

Les rois-dragons, ou Long Wang, sont des dieux des rivières, des lacs et des quatre océans. Ils personnifient la sagesse, la force et la bonté. Ils protègent les passeurs et les porteurs d'eau, et ils répriment le gaspillage d'eau. À ces divinités, qui apportent la pluie, on présente des offrandes en cas de sécheresse. Leur colère provoque des brouillards et des tremblements de terre qui endommagent les rives des cours d'eau.

LE DRAGON, EMBLÈME DE L'EMPEREUR DE CHINE

Le yin et le yang

Pinceau pour souligner le nom des reçus

KUI XING

Kui Xing, un lettré qui a tenté de se suicider en se jetant à la mer et qui a été sauvé par un animal marin, est devenu le dieu des Examens. Il était très populaire à l'époque impériale, lorsque les examens ouvraient la voie à une carrière dans l'administration. On le représente habituellement sous les traits d'un homme debout sur la tête d'une créature marine, telle une tortue.

KUI XING, DIEU DES EXAMENS

Boisseau pour mesurer le talent des candidats

Créature marine

YU HUANG SHANGDI

SUN WUKONG

Le Voyage en Occident, roman chinois, relate les aventures du roi des singes Sun Wukong. Après avoir volé les pêches du jardin de Xi Wang Mu et avoir été capturé par le Bouddha, Sun Wukong est défendu par la déesse Guanyin. Les dieux l'autorisent à descendre sur terre pour escorter Tang Seng, un pèlerin bouddhiste.

UN DIEU DU BONHEUR

YU HUANG SHANGDI

L'empereur de Jade, Yu Huang Shangdi, règne au ciel. Son royaume est la réplique de la cour des empereurs chinois. Ses fonctionnaires reçoivent les rapports des dieux domestiques qui observent la conduite des hommes sur terre. Il a probablement exercé la fonction impériale sur terre avant de renoncer à ses biens pour se consacrer aux malades et de rejoindre le ciel.

LES TROIS DIEUX DU BONHEUR

De nos jours, les statues des trois dieux du bonheur protègent souvent les restaurants chinois. Fu Xing, dieu de la Fortune, Lu Xing, dieu de la Prospérité et des Hautes Fonctions qui donne en outre des fils, et Shou Xing, dieu de Longue Vie qui fixe la date de la mort, incarnent tous les bienfaits que souhaitent les Chinois.

YANLUO WANG

Il existe dix-huit enfers, répartis entre dix tribunaux qui sont présidés par les rois Yama. Maître suprême du royaume infernal et président du premier tribunal, Yanluo Wang est juste et clément. Il tient le registre détaillé des bonnes et des mauvaises actions des hommes. Il punit équitablement les mécréants et récompense les justes et les repentis.

LES DIEUX POPULAIRES

Dans les temples chinois, on vénère des milliers de divinités secondaires. Elles sont parfois d'origine bouddhiste, comme la populaire déesse de la Fertilité Guanyin, ou taoïste, comme les Huit Immortels. Dieux domestiques ou de la Bonne Fortune, patrons des métiers, divinités du monde souterrain, tous ont un rôle à jouer. Chacun, dans son domaine de compétence, s'efforce de porter secours aux humains. Les aides qui se mettent au service des divinités sur terre accroissent encore le nombre de dieux annexes. Ceux-ci sont en effet pour la plupart des mortels divinisés, empereurs, sages ou gens ordinaires qui se sont distingués par des réalisations remarquables.

GUANYIN

Déesse de la Miséricorde, Guanyin est à l'origine une divinité du bouddhisme indien. On la révère en Chine parce qu'elle aide les couples sans enfant à concevoir et qu'elle guérit les malades. Patronne des voyageurs et des paysans, elle est aussi la protectrice des âmes dans l'au-delà.

GUANYIN, DÉESSE
DE LA MISÉRICORDE

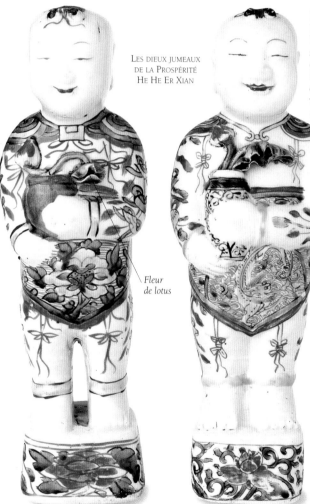

LES DIEUX JUMEAUX
DE LA PROSPÉRITÉ
HE HE ER XIAN

*Fleur
de lotus*

HE HE ER XIAN

Les jumeaux He He Er Xian sont les dieux de la Prospérité et les serviteurs de Cai Shen. Il s'agirait de véritables jumeaux, anciens fabricants de chaux et de charbon de bois. Leurs effigies, qui sont devenues les symboles de l'association et de l'harmonie, rappellent leurs travaux et leurs succès communs. Lorsque les Chinois montent une affaire, ils leur offrent des porte-bonheur dans l'espoir que les dieux leur apporteront la réussite. Les jumeaux tiennent souvent une fleur de lotus, symbole d'harmonie (*he* signifie « harmonie »).

LES HUIT IMMORTELS

Les Huit Immortels sont de fervents taoïstes devenus éternels. Ils traversent les airs avec une incroyable rapidité et ils luttent pour éradiquer le mal sur terre. Ils vivent de nombreuses aventures. Un récit relate que, au retour d'une fête dont les immortels sont sortis ivres, Lan Caiho est capturé par le fils du roi-dragon. S'ensuit une bataille acharnée. Les Huit Immortels sont des dieux protecteurs : Zhang Guolao protège les vieillards, Lü Dongbin et Han Xiangzi les lettrés, Zhongli Quan les soldats, Li Tieguai les malades, Lan Caihe les pauvres, He Xiangu les femmes célibataires et Cao Guojiu la noblesse.

CAI
SHEN

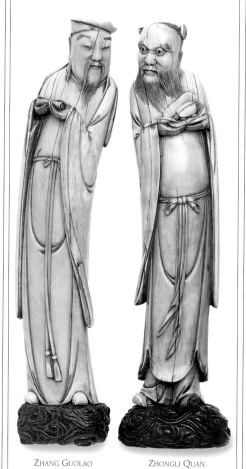

CAI SHEN

Dieu de la Prospérité, Cai Shen est très populaire. On le vénère encore quotidiennement. Le cinquième jour du premier mois, date de son anniversaire, on lui rend un hommage particulier. Au nouvel an, on achète des images et des statuettes qui le représentent. Elles remplacent les effigies de l'année précédente, que l'on brûle.

ZHANG GUOLAO   ZHONGLI QUAN

LU BAN

Dieu des Bâtisseurs, Lu Ban est le patron des travaux publics dans l'administration céleste et le protecteur des artisans de la construction : maçons, menuisiers, plombiers ou décorateurs. Grand inventeur, le mortel Lu Ban a été le premier architecte. Il a construit le premier bateau et conçu l'ombrelle et la brouette.

CHENG HUANG

Patron des villes fortifiées, Cheng Huang est le dieu des Murs et des Fossés, mais son pouvoir s'étend bien au-delà de la cité. En tant que haut dignitaire du monde souterrain, il observe la vie des mortels. Ses rapports font le compte du temps qui reste imparti à chacun.

TONG YUE DADI

Grand empereur du Pic sacré de l'Est, le massif du Tai Shan, Tong Yue Dadi est son dieu et le souverain de l'au-delà. Doué de grands pouvoirs, il décide de la mort des humains et fait ses calculs sur un boulier. Cet objet est souvent suspendu au-dessus de son autel.

LES DIEUX DOMESTIQUES

On adore la plupart des divinités dans les temples, mais on en vénère certaines – tels les dieux Men Shen – dans les demeures. Des plaques à l'effigie des dieux de la maison, comme Zao Jun, sont accrochées dans la cuisine. À la fin de l'année, on dépose des offrandes devant le panneau, puis on le brûle pour renvoyer le dieu au ciel.

MEN SHEN

À l'entrée des temples et des maisons, une paire de dieux des Portes, Men Shen, monte souvent la garde. Selon certains mythes, ce sont des héros divinisés qui ont tué des esprits malins. L'empereur, ravi par leurs exploits, a fait placer leurs statues aux portes du palais pour écarter les démons.

ZAO JUN

Dans les maisons chinoises, on place souvent la plaque de Zao Jun, populaire dieu du Foyer, près du fourneau. Là, il protège la maisonnée. Chaque année, il rédige un rapport sur les membres de la famille à l'intention des dieux du Paradis de l'Occident. Les Chinois adoucissent ses lèvres avec du miel pour qu'il ne dise que du bien.

Plaque dédiée à Zao Jun

ZAO JUN VEILLE
SUR UN FOYER CHINOIS

BAN KEAN

D'après les croyances chinoises, l'âme du mort descend aux Enfers, où l'on enquête sur sa vie terrestre. Le juge Ban Kean, qui siège dans un tribunal, prononce les peines. Lorsque toutes les fautes ont été expiées, l'âme comparaît devant un dernier juge, qui dit comment elle renaîtra.

BAN KEAN

Guan Gong

Shou Cang

GUAN GONG

Guan Gong, également appelé Guan Di ou Guan Yu, est un héros populaire que l'on prie pour obtenir toutes sortes de protections. Il envoie son émissaire Shou Cang punir les coupables. Guan Gong est d'une force colossale. Un jour, le boucher Zhang Fei lui lance un défi. Il descend sa viande dans un puits et la couvre d'une pierre de 180 kg, puis il annonce que cet aliment appartiendra à celui qui soulèvera le rocher. Guan Gong soulève la pierre, mais Zhang Fei l'empêche d'emporter la viande. Tous deux se battent, puis ils deviennent amis.

LIU BEI

Héros du célèbre *Roman des Trois Royaumes*, Liu Bei prend la tête d'une armée pour mater une rébellion et rétablir l'empereur légitime sur son trône. Avec ses compagnons Guan Gong et Zhang Fei, il est considéré comme un redresseur de torts vertueux. Le trio est une sorte d'équivalent chinois des Trois Mousquetaires.

Fu Xi

Shen Nong

Huang Di

SHOU LAO, DIEU
DE LA LONGUE VIE

La pêche, symbole d'immortalité

LES DIEUX DE LA MÉDECINE

Pour relater les débuts de l'histoire chinoise, non documentés, les historiens de la dynastie des Han (206 avant J.-C. – 220 après J.-C.) ont imaginé des empereurs légendaires. Le premier est Fu Xi, patron des musiciens et inventeur des instruments de musique et de l'écriture chinoise. Shen Nong, dieu des Moissons et premier agriculteur, et Huang Di, fondateur de la civilisation, lui ont succédé. Ces trois empereurs divinisés, réputés pour leur connaissance des plantes, sont à l'origine de la médecine chinoise.

SHOU LAO

Le dieu-étoile Shou Lao, c'est-à-dire «Étoile de longue vie», est surtout le dieu de la Longue Vie. Vieillard chauve et souriant, il porte une pêche, symbole d'immortalité, et parfois une gourde, qui évoque la prospérité. Tout un groupe d'animaux représentant le bonheur (chauves-souris, grues et cerfs) sont à son service.

VOIR AUSSI

FU XI 46

MYTHES DE LA CRÉATION 8
DIEUX ET DÉESSES 10
MONSTRES MYTHIQUES 14
Y A-T-IL UNE FIN ? 18

LE PANTHÉON JAPONAIS

D'après la mythologie du shintoïsme, religion nationale du Japon, le monde est l'œuvre d'Izanagi et de son épouse Izanami, deux divinités primordiales qui habitent les Hautes Plaines célestes. Du haut du Pont flottant du Ciel, le couple a créé le cosmos et l'a peuplé de dieux. Izanagi et Izanami ont aussi engendré le chapelet d'îles qui forme l'archipel japonais. Les trois enfants les plus importants, nés d'Izanagi, sont la déesse du Soleil Amaterasu, surgie de l'œil gauche de son père, le dieu de l'Orage Susanowo et le dieu de la Lune Tsuki-yomi. Le *Kojiki*, récit mythologique du VIIIe siècle, narre leurs aventures et fait remonter la lignée des empereurs japonais à la déesse du Soleil Amaterasu. Jusqu'au milieu du XXe siècle, on a considéré les souverains japonais comme des êtres divins qui détenaient un rôle majeur dans le shintoïsme.

EBISU, DIEU DES PÊCHEURS

KUNI-TOKO-TACHI
Le premier être vivant qui émerge du chaos est Kuni-toko-tachi, le souverain éternel des terres, qui, en grandissant, prend la forme d'un roseau. Il engendre sept générations de dieux. Les derniers sont Izanagi et Izanami.

KAGUT-SUCHI
Après que le dieu du Feu Kagut-suchi a brûlé les entrailles de sa mère, son père lui tranche la tête. Huit dieux et déesses naissent du sang de la victime, tandis que cinq divinités de la montagne surgissent de son corps.

ESPRITS DE YOMI

YOMI
Quand Izanagi se rend à Yomi, le monde des morts, pour tenter de sauver Izanami, les esprits cherchent à le tuer. Il jette alors sa coiffe et son peigne, qui se transforment respectivement en raisin et en pousses de bambou. Alors que les esprits s'arrêtent pour manger, Izanagi s'échappe et bloque l'entrée de Yomi avec un rocher.

IZANAGI ET IZANAMI
Les démiurges Izanagi et Izanami font apparaître la première île en agitant l'océan avec une lance. Ils y érigent une demeure et un pilier, dont ils font le tour chacun dans un sens. Lorsqu'ils se rencontrent, ils décident de s'unir. Izanami enfante les huit îles du Japon et de nombreuses divinités de la nature dont Kagut-suchi, le dieu du Feu. Celui-ci consume Izanami, qui meurt et descend aux Enfers, où elle devient une divinité vengeresse.

Izanami

Izanagi agite l'océan avec sa lance

Amaterasu sort de la grotte

HIRUKO
Le premier-né d'Izanagi et d'Izanami est le difforme Hiruko, sorte de sangsue gigantesque. Les parents, peu désireux de conserver un tel monstre, le déposent dans un esquif en roseaux qui dérive sur les eaux. Hiruko devient alors Ebisu, le dieu des Pêcheurs. Peut-être ce récit est-il à l'origine d'une ancienne coutume japonaise qui veut que, à la naissance de leur premier enfant, les parents placent une statuette dans une barque en roseaux qu'ils laissent s'éloigner.

Uzume retient Raiden, le dieu du Tonnerre, dans son bain

UZUME
Uzume, la déesse du Bonheur, est une divinité qui danse. Sa danse est l'un des moyens utilisés par les dieux pour attirer Amaterasu hors de son abri.

AMATERASU
La déesse du Soleil Amaterasu, effrayée par la violence du dieu de l'Orage Susanowo, se réfugie dans une grotte. Privé de soleil, le monde est plongé dans l'obscurité. Aussi les dieux s'efforcent-ils de faire sortir la déesse de sa cachette. Ils allument des feux, et placent un miroir magique face à l'entrée de la grotte. Puis Uzume se met à danser. Amaterasu finit par ouvrir sa porte. Les dieux lui confient qu'ils ont trouvé une déesse plus brillante qu'elle : Amaterasu aperçoit son reflet dans le miroir et sort pour le contempler. Les dieux s'emparent aussitôt d'elle et rendent le soleil au monde.

Susanowo déchaîné

SUSANOWO

Susanowo, le dieu de l'Orage, ne se contente pas de régner sur les océans. Il sème le chaos sur la terre en déchaînant la tempête et en détruisant les habitations. Il transforme les joyaux que lui a donnés Amaterasu en grêle et en éclairs. Les dieux, indignés par sa conduite, le chassent du ciel, mais il continue à dévaster la Terre.

TSUKI-YOMI

Tsuki-yomi, le dieu de la Lune, est né des gouttes d'eau qui sont tombées de l'œil gauche d'Izanagi lorsqu'il s'est lavé à son retour de Yomi. Tsuki-yomi est l'époux d'Amaterasu. Le couple s'est brouillé après que Tsuki-yomi a tué la déesse du Riz, Uke-mochi. Depuis, le jour et la nuit sont séparés.

NINIGI

Ninigi, le petit-fils d'Amaterasu, descend sur terre pour combattre les brigands du dieu-sorcier Okuninushi, puis il règne sur le monde. Ninigi, qui a emporté des grains de riz, apprend aux hommes à cultiver cette plante. Les descendants de Ninigi sont les premiers vrais empereurs du Japon.

WAKA-HIRU-ME

Waka-hiru-me, déesse du Soleil levant, est la sœur cadette d'Amaterasu. Elle est aussi la déesse du Tissage. Avec ses compagnes, Waka-hiru-me confectionne les vêtements des dieux dans l'atelier de tissage sacré. Susanowo y envoie un cheval fou qui terrifie les deux sœurs. Il pousse ainsi Amaterasu à se cacher dans une grotte.

TAKAMI-MUSUBI

Né avant Izanagi et Izanami, ce dieu est l'un des plus anciens du Japon. Il est devenu le messager et le bras droit d'Amaterasu. Il fait le lien entre la déesse et les autres dieux, et il informe Amaterasu de ce qui se passe sur terre.

Oni

ONI

Les démons Oni vivent sur terre et dans l'enfer shinto, un royaume souterrain appelé Jigoku. Généralement invisibles, ils adoptent parfois une forme humaine ou animale. Ils revêtent divers déguisements pour provoquer des maladies, des cataclysmes et des famines. Les Oni volent aussi les âmes et possèdent les humains. Shoki, le chasseur de démons, s'emploie à les repousser.

Shoki, le chasseur de démons, lutte contre deux Oni

LES HÉROS

Pendant des siècles, on a divinisé les empereurs illustres, les chefs militaires, les hommes d'État et les personnages qui se sont distingués par leurs exploits. L'empereur Ôjin, par exemple, décédé au début du IVe siècle avant J.-C., est devenu, au VIIIe siècle, Hachiman, le dieu de la Guerre. De nos jours, de nombreux sanctuaires sont encore voués à des héros et à des héroïnes déifiés.

Kintaro

KINTARO

Kintaro, l'Enfant d'or, possède une force surnaturelle. Pour tuer une araignée géante, il déracine un arbre et s'en sert comme arme.

Araignée géante

Arbre déraciné

RAIKO ET SES COMPAGNONS TUENT LE GÉANT SHUTEN-DOJI

RAIKO

Le guerrier Raiko s'est rendu célèbre en débarrassant le pays de ses monstres dont Shuten-doji (le « Garçon ivre »), un ogre à visage d'enfant qui s'abreuve de sang humain. Déguisé en prêtre, Raiko pénètre dans le domaine du géant, il drogue les gardes et tranche la tête du monstre.

BENTEN

Déesse de la Musique, de la Bonne Fortune et de l'Éloquence, Benten est courtisée par le roi des Serpents, qui demeure sous les flots. Le monstre terrorise les habitants de la côte. Bien que choquée par la sinistre réputation de son soupirant, Benten accepte de l'épouser à condition qu'il change son mode de vie.

Benten

Le roi des Serpents courtise la déesse de la Musique

INARI

Inari est l'époux d'Uke-mochi, la déesse du Riz, tuée par Tsuki-yomi. Après sa mort, Inuri hérite des fonctions de la déesse : il devient le dieu du Riz et veille sur les récoltes. Ancien patron des armuriers, il est aussi un dieu de la Prospérité.

LES DIVINITÉS SECONDAIRES

Les peuples de l'ancien Japon adorent une multitude de divinités mineures qu'ils identifient à leurs ancêtres. Elles investissent la nature entière, prenant possession aussi bien d'un vieux pin noueux et de cimes enneigées que d'un torrent impétueux ou de rochers déchiquetés. Les étoiles et les éléments naturels – les orages, le vent, le tonnerre et la foudre – sont également considérés comme des dieux. Certaines de ces divinités ont pour fonction de protéger le Japon. Au XIIIᵉ siècle, quand l'empereur de Chine tente d'envahir l'archipel, de violentes tempêtes anéantissent sa flotte à deux reprises. On a donné le nom de Kamikaze, le «Vent divin», à cette intervention providentielle.

*LE VIEILLARD QUI FAIT
FLEURIR LES CERISIERS*

Panier de cendres

SENGEN-SAMA

DIEUX DES MONTAGNES
En découpant le dieu du Feu en cinq morceaux, le démiurge Izanagi crée cinq dieux des montagnes associés aux différentes parties des massifs, du sommet à la base.

FUJIYAMA
Les montagnes et les volcans du Japon sont souvent des lieux saints. Le plus sacré est le Fujiyama, ou mont Fuji (3 776 mètres) dont la dernière éruption remonte à 1708. Ses pentes et son sommet sont parsemés de temples consacrés aux divinités shintoïstes. Chaque été, un million de pèlerins environ escaladent le mont.

LE VIEILLARD QUI FAIT FLEURIR LES CERISIERS
Chaque année, au printemps, un vieillard surgit d'on ne sait où et répand des cendres sur les cerisiers pour que les boutons s'épanouissent. Les cerisiers en fleur occupent une grande place dans la mythologie japonaise. Un arbre magnifiquement fleuri est censé apporter le bonheur. Les Japonais se massent pour admirer la floraison dès qu'elle débute.

DIEUX DES ÉTOILES
Les étoiles peuvent être des divinités malfaisantes ou bienveillantes, comme Amatsu-mikaboshi, dieu du Mal, et Amano-minakanushi-no-kami, seigneur du Milieu du Ciel.

LES SEPT DIEUX DU BONHEUR

Un groupe de sept divinités mineures, les Shichi Fukujin, personnifient le bonheur et la bonne fortune. Deux seulement de ces divinités, Ebisu et Daikoku, sont d'origine shinto, les autres sont empruntées au taoïsme chinois ou à l'hindouisme. La plupart remplissent des fonctions annexes liées au bonheur. Ils veillent ainsi sur la prospérité et l'amour.

HOTEI-OSHU

Grand sac

LES DIEUX DU BONHEUR DANS LA NEF AUX TRÉSORS

BENZAITEN
D'origine hindoue, Benzaiten est une déesse de l'Amour, et l'équivalent de la déesse shinto Benten. Elle chevauche un dragon et, comme Benten, elle joue du biwa, un instrument à cordes.

BISHOMONTEN
Bishomonten, dieu guerrier issu du panthéon indien, dispense les Richesses. C'est sous cet aspect qu'il a été intégré aux dieux du Bonheur.

HOTEI-OSHU
Dieu de la Générosité et des Familles nombreuses, Hotei-oshu est un apport du taoïsme chinois. Moine chauve et ventripotent, il porte un grand sac et un petit tamis.

FUKUROKUJU
Vieillard au crâne très allongé, Fukurokuju est un dieu de la Longue Vie, du Bonheur et des Émoluments. Son crâne indique qu'il est aussi un dieu de la Sagesse. Une cigogne le suit.

JUROJIN
Autre dieu de la longévité, Jurojin se reconnaît à son long bâton. Il est suivi par un cerf.

DAIKOKU
D'origine hindoue, Daikoku devient un dieu du Bonheur et de la Richesse. Il est figuré avec deux gros paquets de riz à ses pieds. Dans une main, il brandit un maillet qui fait jaillir les trésors.

Paquet de riz

DAIKOKU

EBISU
Dieu shinto du Travail, Ebisu veille aussi sur les pêcheurs. Il tient un gros poisson et une ligne.

LES AÏNOUS

Les Aïnous, premier peuple du Japon, ont imaginé leurs propres mythes de la Création. Animaux, dieux et démons vivent dans les mondes supérieur et inférieur, séparés par un vaste marécage formé d'eau et de boue. C'est à partir de ce marais que le dieu créateur Kamuy forge le monde.

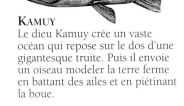

KAMUY

Le dieu Kamuy crée un vaste océan qui repose sur le dos d'une gigantesque truite. Puis il envoie un oiseau modeler la terre ferme en battant des ailes et en piétinant la boue.

AIOINA

Pour apprendre aux hommes à chasser et à faire cuire leur nourriture, Kamuy envoie sur terre le dieu Aioina. Lorsque celui-ci regagne le ciel, les autres dieux se plaignent de son odeur humaine. Il rapporte ses vêtements malodorants sur terre et les dépose sur le sol. Ses vieilles sandales deviennent les premiers écureuils.

Les premiers écureuils

Disque représentant le tonnerre et son grondement

Dieu de l'Orage figuré sous la forme d'un démon

Joyau magique

RYUJIN

RYUJIN

Identifiable à sa grande bouche, Ryujin, le roi-dragon de la Mer, est l'une des divinités de l'océan les plus importantes du Japon. Il contrôle le mouvement des marées à l'aide de joyaux magiques. Après avoir épousé le prince Hoori, sa fille devient l'ancêtre de la dynastie impériale.

DIEUX DES EAUX

Les Kawa-no-kami sont les dieux des Cours d'eau. Lorsqu'une rivière déborde, c'est le signe qu'il faut offrir un sacrifice au dieu. Parmi les divinités de la mer figure O-wata-tsu-mi, qui règne sur les poissons et les créatures marines. Le monstre Wani lui sert de messager.

Baguette de tambour utilisée pour produire le tonnerre

DIEUX DE L'ORAGE

Susanowo n'est pas l'unique dieu japonais de l'Orage et de la foudre. Il rivalise avec Take-mi-kazuchi, conquérant de la province d'Izumo, et Kami-nari, le dieu du Tonnerre grondant. Les arbres frappés par la foudre sont sacrés pour Kami-nari. Les bûcherons n'ont donc pas le droit de les abattre.

DIEU JAPONAIS DE L'ORAGE

Sac des vents

DIEUX DU VENT

Deux divinités dominent les dieux du Vent de la mythologie japonaise. La première est Shina-tso-hiko, née du souffle d'Izanagi. La seconde est la déesse Shina-to-be, qui dissipe les brumes sur la terre ferme.

DIEUX DU FOYER

Le panthéon shinto comprend divers dieux domestiques. La plupart sont des dieux de la Cuisine, comme Kamado-no-kami, le dieu des Fourneaux, qui est vénéré dans tout le Japon. Les cuisines impériales possèdent leur propre dieu, un prince du sang divinisé qui avait été un excellent cuisinier.

UKE-MOCHI

Uke-mochi est la déesse du Riz. À Tsuki-yomi qui vient lui rendre visite, elle sert un étrange repas composé de riz et de plats sortis de son nez, de sa bouche et de son anus. Dégoûté à l'idée d'avaler des mets préparés de cette façon, Tsuki-yomi tue la déesse.

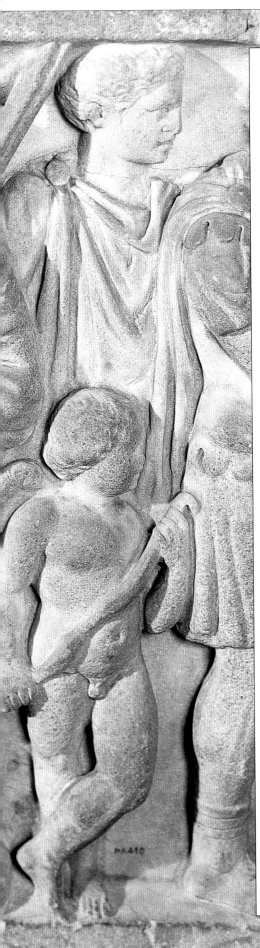

MONDE CLASSIQUE

*Les divinités de la Grèce
et de la Rome antiques,
qui adoptent une forme
humaine, éprouvent
les mêmes sentiments
et ont le même comportement
que les hommes. Elles aiment,
elles jalousent, elles se lient d'amitié, elles se querellent.
Des héros, des demi-dieux, des monstres et des créatures
fabuleuses peuplent aussi l'univers mythologique des Grecs
et des Romains.*

GÉNÉALOGIE DES DIEUX

Au commencement du monde règnent les Titans,
génération d'êtres gigantesques nés du Ciel
et de la Terre. Deux d'entre eux, Rhéa et Cronos,
engendrent six divinités dont Zeus, le maître
de l'Olympe. Les Romains, qui côtoient les Grecs
d'Italie avant de soumettre ceux de Grèce et d'Asie
Mineure, adoptent leurs mythes et leurs dieux sans
grande modification.

CRONOS, PÈRE DES DIVINITÉS DE L'OLYMPE

NOMS DES DIEUX GRECS ET ROMAINS

GRÈCE	ROME	GRÈCE	ROME
Aphrodite	Vénus	Héphaïstos	Vulcain
Apollon	Apollon	Héra	Junon
Arès	Mars	Hermès	Mercure
Artémis	Diane	Hestia	Vesta
Athéna	Minerve	Poséidon	Neptune
Déméter	Cérès	Zeus	Jupiter

LES DIEUX OLYMPIENS

Les principaux dieux du panthéon grec résident sur le mont Olympe. Les grands dieux olympiens, au nombre de douze, ont à leur tête Zeus, le dieu suprême. Quand leurs rivalités et leurs amours (on ne compte plus les aventures de Zeus tant avec les mortelles qu'avec les déesses) leur en laissent le temps, les dieux olympiens interviennent dans les affaires des hommes. Athéna protège par exemple les héros Héraclès et Persée, et elle aide Ulysse à regagner l'île d'Ithaque. Mais leurs interventions, comme celle d'Aphrodite qui provoque la guerre de Troie, ne sont pas toujours bienveillantes.

Zeus conduisant son quadrige

LE MONT OLYMPE

Après la lutte des dieux contre les Titans, les trois fils de Cronos se partagent le cosmos. Poséidon reçoit les mers, Hadès le monde souterrain et Zeus le ciel. Le Dieu suprême réside au sommet du mont Olympe avec les douze divinités principales de la Grèce. Sur l'Olympe, le temps est toujours printanier. Un anneau de glace l'isole de la terre où vivent les mortels.

ZEUS

Dernier fils de Rhéa et de Cronos, Zeus renverse les Titans et devient le Dieu suprême. Il fait régner l'ordre et la justice sur l'Olympe. Il frappe ses ennemis de la foudre, forgée par les Cyclopes. Maître du monde céleste, Zeus fixe le rythme des saisons et la course des astres. Il a plusieurs épouses, dont Métis, Thémis et Héra, et d'innombrables maîtresses parmi les déesses, les nymphes et les mortelles.

ATHÉNA

ATHÉNA

Déesse de la Raison, Athéna est sortie tout armée du front de Zeus après que le dieu eut avalé sa première épouse, Métis, enceinte. Son emblème est la chouette, symbole de la sagesse. Également déesse de la Guerre, Athéna porte une lance et un bouclier, l'égide, orné d'une tête de Méduse. Après avoir soustrait Athènes au dieu Poséidon, elle devient la patronne de la ville.

HÉRA

Troisième épouse de Zeus et reine de l'Olympe, Héra est la déesse du Mariage et la protectrice des femmes. Très jalouse des maîtresses de son mari, elle poursuit ses rivales et leurs enfants. Sémélé, Léto et Io ont toutes trois été victimes de sa vengeance. Pour les Grecs, le mariage sacré de Zeus et d'Héra forme le modèle de l'union conjugale.

Jeune coq

HÉRA, ÉPOUSE LÉGITIME DE ZEUS

Artémis en déesse de la Fécondité aux multiples mamelles

APOLLON

Fils de Zeus et de Léto, une Titanide, Apollon, le dieu du Soleil, a de multiples attributions. Il est le dieu de la Prophétie, des Arts, de la Médecine et de la Musique. Comme le Soleil, qu'il incarne, il donne la vie ou il détruit, il est bienveillant ou menaçant. Jeune, il se venge cruellement des femmes qui le repoussent. Pendant qu'il courtise Cassandre, il lui apprend la divination. Puis, lorsque la jeune femme le rejette, il la condamne à ne jamais être crue. Finalement, il mûrit et se sert de ses dons pour guérir, jouer de la musique et rendre l'oracle de Delphes.

HERMÈS

Hermès, le messager des dieux, est le fils de Zeus et de la nymphe Maia. Coiffé d'un chapeau de voyageur et chaussé de sandales ailées, il tient à la main le caducée, bâton enveloppé par deux serpents. Le dieu veille sur tout ce qui est en rapport avec les déplacements, des voyages au change et au commerce. Hermès, qui est aussi le patron des voleurs, présente un aspect déplaisant. Il peut mentir et colporter de fausses nouvelles. Il préside aux transactions aussi bien douteuses qu'honnêtes.

Chapeau de voyageur

Sandales ailées

HERMÈS, MESSAGER DES DIEUX

ARTÉMIS

Sœur jumelle d'Apollon, Artémis est souvent représentée sous les traits d'une jeune fille, chasseresse, tenant un arc. Mais elle protège aussi les jeunes animaux et les nouveau-nés. À Éphèse (aujourd'hui en Turquie), on lui rend un culte en tant que déesse nourricière.

APOLLON

DIONYSOS

Dieu du Vin et de l'Ivresse, fils de Zeus et de Sémélé, Dionysos apparaît sous la forme d'un animal ou d'un mortel. Avec les ménades et les satyres, il boit et danse avec frénésie. Capturé par des pirates, il couvre le navire de raisins, puis il change en dauphins les marins terrifiés, qui se sont jetés à l'eau. Il est simplement invité sur l'Olympe.

ARÈS, DIEU DE LA GUERRE

ARÈS

Arès, fils de Zeus et d'Héra, est le dieu de la Guerre. Violent, il est redoutable sur les champs de bataille. Il n'a pas d'épouse légitime, mais des maîtresses. Avec Aphrodite, il engendre deux jumeaux, Deimos et Phobos, Crainte et Terreur, qui le suivent au combat, ainsi qu'Harmonie et Éros. Surpris par Héphaïstos, l'époux d'Aphrodite, les deux amants sont enfermés dans un filet puis relâchés à la demande des dieux.

Le taureau, une des formes de Dionysos

DIONYSOS, DIEU DU VIN ET DE L'IVRESSE

Athéna

Zeus

Héphaïstos

HÉPHAÏSTOS

Fils conçu par Héra seule ou fils d'Héra et de Zeus, Héphaïstos est laid et boiteux. Après sa naissance, sa mère dépitée le jette dans la mer, où il est recueilli par des nymphes qui en font un artisan accompli. Dieu du Feu, des Volcans et des Forges, il devient l'un des douze dieux de l'Olympe. Il fabrique des merveilles telles qu'une armure magique qui rend invisible et Pandore, la première femme.

Avec son trident, Poséidon noie ou fait surgir les îles et la terre

APHRODITE, DÉESSE DE L'AMOUR

Conque

Éros, dieu de l'Amour

POSÉIDON, DIEU DE LA MER

POSÉIDON

Fils de Cronos et frère de Zeus, Poséidon règne sur les mers et les fleuves. En agitant son trident, il déclenche des tempêtes et des tremblements de terre. On redoute les colères de ce dieu violent. Il se querelle avec les autres dieux pour dominer de nouvelles régions de la Grèce. Ses animaux sacrés sont le taureau et le cheval.

APHRODITE

La déesse de la Beauté et de l'Amour physique serait née de l'écume, *aphros*. Elle est l'épouse d'Héphaïstos. Parfois cruelle et capricieuse, elle séduit les dieux et les mortels. Parmi ses amants divins figurent Arès, Hermès, Dionysos et Adonis, avec qui elle engendre les dieux Éros et Priape. Avec le mortel Anchise, elle enfante le héros Énée.

DÉMÉTER

Le culte de Déméter, déesse mère de la Terre et de la Fertilité, est associé à celui de sa fille Perséphone. À Éleusis, près d'Athènes, elle initie le roi Triptolème à l'agriculture. En ce lieu, témoin du retour de Perséphone des Enfers, on célèbre des mystères qui apportent aux initiés l'espoir d'une vie éternelle.

DÉMÉTER, DÉESSE DE LA TERRE ET DE LA FERTILITÉ

HESTIA

L'aînée des filles de Cronos et de Rhéa, qui ont aussi engendré Zeus, est la déesse du Foyer. Demeurée vierge, elle est la plus pacifique des douze dieux olympiens. Elle préside au don du nom à l'enfant.

DIVINITÉS SECONDAIRES

À côté des grands dieux olympiens, les Grecs honorent des divinités mineures auxquelles ils attribuent des rôles très divers. Ces dieux sont secondaires soit parce qu'ils n'ont pu se hisser au rang des grands Olympiens, soit parce qu'ils sont des demi-dieux ou des humains devenus immortels. Dieux de la nature, des quatre vents ou de la lune, ils interviennent dans la vie quotidienne des hommes. Il existe aussi des divinités, plus abstraites, qui incarnent la jeunesse ou la justice. Souvent, le culte de ces dieux ne dépasse pas le cadre de leur ville ou de leur région d'origine. Mais il arrive que le sanctuaire d'une divinité secondaire connaisse un immense rayonnement. C'est le cas du temple d'Asclépios, dieu de la Médecine, qui attire à Épidaure, dans le Péloponnèse, des pèlerins de toute la Grèce.

PAN, DIEU
DES CHAMPS
ET DES BOIS

ÉROS,
DIEU AILÉ
DE L'AMOUR
ET DU DÉSIR

DIEUX, TITANS ET MORTELS

Selon les mythes, l'humanité descend de Pélage, le premier homme qui a surgi du sol de l'Arcadie, dans le Péloponnèse, de Prométhée, qui a modelé les êtres humains avec de l'argile, ou des races créées par les dieux et par Zeus pour peupler la Terre. Cette dernière tradition fait succéder aux hommes bons de la race d'Or, la violente race d'Argent, la race d'Airain, qui travaille les métaux, la race des Héros et enfin la race du Fer, qui est la nôtre.

Prométhée

PROMÉTHÉE

Zeus veut supprimer en l'affamant le Titan Prométhée, bienfaiteur de l'humanité. Pour l'en empêcher, Prométhée convie Zeus et les hommes à un repas. Une ruse du Titan incite le dieu à prendre les os, les entrailles et la graisse, et à laisser la viande aux hommes. En représailles, Zeus confisque le feu aux mortels. Mais Prométhée le vole dans les forges d'Héphaïstos et le rend à l'humanité.

*Tous les maux
s'échappent*

PANDORE

En réponse au vol du feu, Zeus demande à Héphaïstos de modeler dans l'argile Pandore, la première femme. Le Dieu suprême envoie cette créature sur terre avec un coffret, la boîte de Pandore. La jeune femme épouse Épiméthée, le frère de Prométhée, puis, dévorée par la curiosité, elle ouvre le coffret. Tous les maux s'échappent alors et se répandent sur la terre. Seule l'Espérance reste au fond de la boîte, refermée précipitamment.

Pandore

PAN

Pan, le fils d'Hermès, possède le torse et la tête d'un homme, les cornes et les pattes d'un bouc. Il est le dieu des Champs, des Bergers, du Bétail et des Bois. Pan, qui aime la compagnie des satyres, danse et joue de la flûte et poursuit les nymphes. Pan a une voix terrible, qui effraie les animaux de la forêt. Son cri arrête les armées en marche et ébranle même les remparts. Le mot panique dérive de la peur qu'il inspire.

*Sabot
fendu*

ÉROS

Éros, enfant ailé muni d'un carquois et de flèches, personnifie le désir amoureux. Pour certains, il est né du chaos au commencement des temps, pour d'autres il est le fils d'Aphrodite et d'Arès. Avec ses flèches, il inspire l'amour aux hommes et aux dieux.

PRIAPE,
DIEU RUSTIQUE
DE LA FERTILITÉ

PRIAPE

Dieu de la Fertilité et des Jardins, Priape est le fils d'Aphrodite. Il a pour père Hermès, Dionysos ou Zeus. Lorsque Pâris, prince de Troie, déclare qu'Aphrodite est la plus belle des déesses, elle est enceinte de Priape. Pour se venger de sa rivale, Héra se sert de ses pouvoirs magiques et déforme l'enfant à naître. Elle le rend laid et irascible. Priape est pourvu d'un grand phallus en érection qui gêne ses mouvements. Il est le compagnon de Pan.

ASCLÉPIOS

Asclépios, fils d'Apollon, est le dieu de la Médecine. Son père confie son éducation au centaure Chiron, qui lui apprend l'art de guérir. La déesse Athéna lui donne du sang de la Gorgone Méduse, qui a pour vertu de ressusciter les morts. Zeus, inquiet de ce pouvoir, le foudroie. Il se réincarne en serpent.

HYGIE

Asclépios a trois filles, Iaso, Panacée et Hygie, les déesses de la Santé. Hygie, la plus célèbre, reçoit un culte au côté de son père. Elle a son propre sanctuaire à Épidaure, lieu où les fidèles viennent chercher la guérison auprès d'Asclépios. Dans l'espoir d'un rétablissement, ils attendent l'apparition du dieu la nuit, dans un dortoir.

EOS

Eos est la déesse de l'Aurore, fille du Titan Hypérion et de sa sœur Théia. Homère l'appelle Aurore « aux doigts de rose » à cause des teintes des cieux au lever du jour. Elle ouvre les portes du ciel au char d'Hélios, le Soleil, qu'elle précède.

HÉLIOS

Hélios, le frère d'Eos, personnifie le Soleil. Il est figuré comme un beau jeune homme dont la tête est entourée de rayons. Hélios conduit un char tiré par quatre chevaux. Tous les jours, il parcourt le ciel d'est en ouest. La nuit, il rebrousse chemin sous la Terre.

Séléné

Endymion

SÉLÉNÉ

Sœur d'Eos et d'Hélios, la belle Séléné, déesse de la Lune, s'éprend du mortel Endymion. Elle persuade Zeus d'exaucer le vœu du jeune homme, qui souhaite dormir éternellement pour éviter de vieillir. Toutes les nuits, Séléné contemple son bien-aimé à la manière de la lune qui veille sur la terre endormie.

IRIS

Déesse de l'Arc-en-ciel, lien entre le ciel et la Terre, Iris, fille d'un Titan et d'une Océanide, est la messagère des dieux. Elle secourt parfois les mortels.

LA DÉESSE DE LA JUSTICE, THÉMIS

LES QUATRE VENTS

Borée, l'âpre vent du Nord, Notos, le vent chaud du Midi, Euros, le vent d'Est et Zéphir, le favorable vent d'Ouest, sont les fils d'Eos et d'Astreos, dieu des Astres. Le plus célèbre est Borée, qui a sauvé les Athéniens d'une invasion en dispersant la flotte perse. Borée enlève Orithye, fille d'Érechthée, roi mythique d'Athènes. Ils ont plusieurs enfants, dont les jumeaux Calaïs et Zétès, qui à leur mort deviennent les Boréades ou les vents du Nord-Est. Ils font partie des Argonautes. Zéphir, féroce à l'origine, s'adoucit pour devenir la brise appréciée des marins.

La nymphe Scylla

Glaucos poursuit Scylla

BORÉE, LE VENT DU NORD, ENLÈVE ORITHYE

GLAUCOS

Le pêcheur Glaucos a accédé à la vie éternelle en mangeant par hasard une herbe magique. Après que les hommes ont refusé de reconnaître son immortalité, Glaucos retourne à la mer et devient un dieu marin. Apollon lui accorde le don de prophétie. Aussi Glaucos surgit-il des eaux pour prévenir les marins des dangers.

PROTÉE

Protée, l'un des vieillards de la Mer, garde les troupeaux de phoques de Poséidon. Il possède le don de prophétie et il se métamorphose à sa guise.

NÉRÉE

Comme Protée, Nérée, autre vieillard de la Mer, a le don de prophétie. Il habite au fond de la mer avec sa femme, Doris, dont il a eu cinquante filles, les Néréides.

HÉBÉ

Déesse de la Jeunesse, fille de Zeus et d'Héra, Hébé sert aux dieux leur nourriture, le nectar et l'ambroisie. Elle aide Arès à s'habiller et Héra à préparer son char. Elle connaît la disgrâce quand Zeus choisit Ganymède pour échanson. Hébé épouse Héraclès, devenu immortel.

THÉMIS

Fille de Gaia, la Terre, et du Titan Ouranos, Thémis est la deuxième épouse de Zeus. Sur l'Olympe, elle s'occupe des cérémonies. Sur la Terre, elle fait régner la justice. Réputée pour ses conseils avisés, elle aide Zeus après son mariage avec Héra.

VOIR AUSSI

APHRODITE 57
APOLLON 56 • ARÈS 57
ATHÉNA 56 • CENTAURES 66
CHIRON 62 • DIONYSOS 57
GANYMÈDE 60 • GORGONES 67 • HÉPHAÏSTOS 57 •
HÉRA 56 • HÉRACLÈS 65
HERMÈS 56 • OLYMPE 56
PAN 58 • PÂRIS 70
POSÉIDON 57 • PROMÉTHÉE 69 • SATYRES 63 • ZEUS 56

LES AMOURS DES DIEUX

Les mythes racontent aussi les amours des dieux et les idylles qu'ils nouent, entre eux ou avec des mortels. Zeus, qui accumule les aventures, est souvent contraint de se métamorphoser pour parvenir à ses fins. Il ne peut en effet approcher les mortelles sous son aspect véritable, qui est terrifiant et qui représente même un danger pour elles. Souvent, il ruse aussi pour conquérir les jeunes femmes qui ne sont pas consentantes. Les amours des dieux se terminent généralement mal. Métis, par exemple, est avalée par Zeus tandis que Daphné est changée en laurier. Le fruit des liaisons des dieux agrandit le panthéon grec. Parmi les enfants nés de ces unions figurent les Destinées et les Muses, qui exercent une grande influence sur la vie des hommes.

Le cygne émeut Léda

ACTÉON
Actéon est élevé par le centaure Chiron, qui lui apprend à chasser. Alors qu'il pratique son art, Actéon aperçoit Artémis, elle-même chasseresse, qui se baigne. Il est ébloui par la beauté de la déesse. Lorsque la vierge farouche réalise qu'un mortel l'a vue nue, elle change Actéon en cerf et le fait déchiqueter par ses propres chiens.

Artémis change Actéon en cerf

LÉDA
Fidèle épouse de Tyndare, le roi de Sparte, Léda est surprise par Zeus alors qu'elle se baigne. Avec l'aide d'Aphrodite, le dieu réussit à s'unir à Léda. La déesse, changée en aigle, et Zeus, changé en cygne, passent près de Léda, qui s'apitoie sur l'oiseau poursuivi par le rapace. Alors qu'elle le protège, Zeus en profite pour la posséder. Léda engendre quatre enfants qui sortent de deux œufs : les jumelles Clytemnestre et Hélène, et les jumeaux Castor et Pollux.

MÉTIS
D'après une prophétie de Gaia, si Métis, la première femme de Zeus, a une fille, elle dépassera son père en sagesse et, si elle engendre un fils, il détrônera son père. Pour empêcher que cette funeste prédiction ne se réalise, Zeus avale Métis. Le fils ne voit pas le jour. La fille, Athéna, naît tout armée du front de son père.

LÉTO
L'amour de Zeus pour Léto, la fille des Titans Céos et Phébée, provoque la jalousie d'Héra. La déesse oblige Léto, enceinte, à errer pour trouver un endroit qui veuille bien l'accueillir. Finalement, Léto est transportée par Poséidon sur l'île de Délos, où elle accouche d'Artémis et d'Apollon.

Zeus lutte avec Ganymède

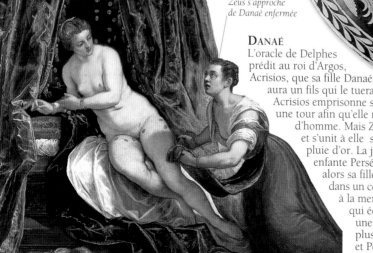

Zeus s'approche de Danaé enfermée

L'ENLÈVEMENT DE GANYMÈDE

DANAÉ
L'oracle de Delphes prédit au roi d'Argos, Acrisios, que sa fille Danaé aura un fils qui le tuera. Acrisios emprisonne sa fille dans une tour afin qu'elle ne rencontre jamais d'homme. Mais Zeus trouve Danaé et s'unit à elle sous la forme d'une pluie d'or. La jeune femme enfante Persée. Acrisios enferme alors sa fille et son petit-fils dans un coffre qu'il jette à la mer. Persée et Danaé, qui échouent sur une île, retourneront plus tard à Argos et Persée tuera accidentellement son aïeul.

GANYMÈDE
Ganymède, d'une beauté radieuse, est le plus jeune fils de Tros, le roi de Troie. Zeus tombe sous le charme du garçon, qui garde les troupeaux de son père dans la plaine de Troie. Le dieu, métamorphosé en aigle, fond sur Ganymède et l'emmène sur le mont Olympe. Zeus accorde au jeune homme la jeunesse éternelle, il en fait son échanson et son amant. À titre de compensation, Zeus offre au roi Tros un cep de vigne en or, œuvre d'Héphaïstos, le dieu du Feu, et deux juments immortelles. Dans une autre version du mythe, Zeus confie à un aigle le soin d'enlever Ganymède. Par la suite, Ganymède est devenu la constellation du Verseau.

EUROPE

Zeus repère la princesse Europe, fille du roi phénicien Agénor, alors qu'elle cueille des fleurs et l'approche sous la forme d'un taureau placide. La jeune fille, séduite par l'animal, s'assied sur son dos. Soudain, le taureau fonce vers la mer et emporte Europe en Crète, où il s'unit à elle. Europe met au monde trois fils, Minos, roi de Crète, Rhadamanthe, légiste et juge des Enfers, et Sarpédon, roi de Milet.

EUROPE SUR LE DOS DU TAUREAU

SÉMÉLÉ

Zeus prend la forme d'un mortel pour séduire Sémélé, la fille de Cadmos et d'Harmonie. Héra, l'épouse légitime du dieu, se venge de sa rivale en prenant les traits d'une vieille servante qui incite Sémélé à demander à Zeus d'apparaître dans sa gloire divine. Zeus s'exécute, mais les éclairs qui l'entourent consument Sémélé. Zeus sauve des flammes Dionysos, leur enfant en l'enfermant dans sa cuisse.

SÉMÉLÉ, AMANTE DE ZEUS

DAPHNÉ

Apollon, dieu de la Musique et de la Poésie, raille les talents d'archer d'Éros, le dieu de l'Amour. Éros répond à ses sarcasmes en lui décochant une flèche qui le rend amoureux de la belle Daphné, une nymphe fille du fleuve Pénée. Poursuivie par Apollon, la nymphe se réfugie dans les montagnes. Lorsqu'elle arrive au fleuve, elle demande à son père de la sauver du dieu, qui est sur le point de la rattraper. Il entend ses prières et la change en laurier afin de préserver sa virginité. Depuis, cette plante est sacrée pour Apollon.

APHRODITE ET SON AMANT
ADONIS EN CHASSEUR

DAPHNÉ ET APOLLON

MNÉMOSYNE

La Titanide Mnémosyne, fille de Gaia, la Terre, et d'Ouranos, le Ciel, personnifie la mémoire. Après avoir passé neuf nuits avec le dieu Zeus, elle donne naissance aux neuf Muses, les déesses qui président aux arts libéraux, à l'astronomie et à l'histoire.

MAIA

La nymphe Maia est l'une des sept Pléiades, filles du Titan Atlas et de l'Océanide Pléioné. Elle vit sur le mont Cyllène, où elle conçoit avec Zeus Hermès, le messager des dieux. Il est le seul enfant illégitime du dieu qui n'ait pas été victime de la jalousie de sa femme Héra.

ADONIS

Adonis est le fils du roi assyrien Théias et de sa fille Myrrha. Les dieux changent Myrrha en arbre à myrrhe pour éviter que son père, avec qui elle s'est unie par la ruse, ne la tue après avoir compris ce qui s'est passé. Adonis naît de cet arbre. Aphrodite, la déesse de l'Amour, s'éprend de l'enfant et en confie la garde à Perséphone, qui l'aime à son tour et refuse de le rendre. Zeus intervient : il décide qu'Adonis passera un tiers de l'année avec Aphrodite, un tiers avec Perséphone et le troisième tiers avec celle des deux déesses qu'il choisira.

ARIANE

Fille de Minos, le roi de Crète, Ariane tombe amoureuse du héros Thésée, à qui elle révèle comment sortir du Labyrinthe après avoir tué le Minotaure. Thésée quitte la Crète avec Ariane, mais Dionysos, qui l'aime, jette un sort au héros pour qu'il abandonne la princesse dans l'île de Naxos. Dionysos l'épouse et lui offre une couronne à sept étoiles. À sa mort, elle devient une constellation, la Couronne boréale.

DIONYSOS S'ÉPREND
D'ARIANE

THÉMIS

Fille de Gaia, la Terre, et d'Ouranos, le Ciel, Thémis est la seconde épouse de Zeus. Elle engendre de nombreuses déesses dont les trois Heures, Diké, Eunomie et Irène, associées aux saisons, et les trois Destinées (les Moires), qui fixent les destins. Avec le Titan Japet, Thémis a conçu Prométhée.

VOIR AUSSI

APHRODITE 57 • APOLLON 56 • ARTÉMIS 56 •
ATHÉNA 56 • CASTOR 75 •
CHIRON 62 • CLYTEMNESTRE 70 • DESTINÉES 63 •
DIONYSOS 57 • ÉROS 58 •
HÉLÈNE 70 • HÉPHAISTOS 57 • HÉRA 56 • HERMÈS 56 •
HEURES 63 • MINOTAURE 66 •
MUSES 63 • NYMPHES 62 •
OLYMPE 56 • PERSÉE 64 •
PERSÉPHONE 68 • PROMÉTHÉE 58,69 • THÉSÉE 64 • ZEUS 56

LES COMPAGNONS DES DIEUX

Au cours de leurs déplacements, les dieux sont souvent accompagnés de créatures surnaturelles, serviteurs, assistants ou disciples. Le cortège des dieux est révélateur de leur personnalité. Alors que Dionysos, ivre, est entouré d'animaux mythiques, de danseuses échevelées, ou de Silène, vieil homme qui abuse du vin autant que lui, la belle Aphrodite a pour suivantes les trois Grâces, aussi resplendissantes de beauté que raffinées. Les compagnons des dieux ont aussi des attributions qui leur sont propres. Ils sont les esprits d'un lieu, comme les nymphes, associées aux montagnes ou aux forêts, où ils exercent des responsabilités dans un domaine précis. Pour les Grecs et les Romains, ils étaient sans doute beaucoup plus proches que les dieux retranchés sur le mont Olympe.

LES ÉRINYES

Les trois déesses de la Vengeance et de la Justice, les Érinyes (les Furies des Romains), vivent dans les profondeurs des Enfers, où elles tourment les âmes des criminels. Hideuses, elles sont nées des gouttes de sang tombées sur Gaia, la Terre, après l'émasculation d'Ouranos. Alecto châtie la démesure, Mégère les crimes contre la famille et Tisiphone les homicides.

LES ÉRINYES

LES NYMPHES

Nées le plus souvent d'un dieu et d'une mortelle, les nymphes sont de séduisantes jeunes femmes qui sont toujours associées à la nature. Les Néréides et les Océanides peuplent les mers, tandis que les Naïades vivent dans les sources, les lacs et les cours d'eau. Les Alséides habitent les bocages et les Oréades les montagnes. Les Dryades et les Hamadryades hantent les bois et les arbres. Les nymphes font souvent partie de l'escorte des dieux. Elles sont nombreuses à suivre Pan et les satyres, Zeus, Apollon, Hermès et Dionysos. Seules les Dryades demeurent dans les forêts, où elles protègent les arbres et dansent autour des chênes sacrés. La plupart des nymphes sont les filles de Zeus. Les Océanides et les Néréides sont les filles du Titan Océanos ou du dieu aquatique Nérée. Les nymphes tombent amoureuses des mortels.

LES OCÉANIDES

LA FLÛTE DE PAN

ÉCHO ET NARCISSE

CHIRON ET JASON

CHIRON

Contrairement aux autres centaures, Chiron est doux et avisé. Apollon et Artémis l'initient à la musique, à la médecine et à l'art de la guerre. Il est le tuteur d'Achille et de Jason, à qui il apprend à se battre, et d'Asclépios, à qui il enseigne la médecine. Héraclès, au cours de son combat contre les centaures, le blesse accidentellement d'une flèche empoisonnée. Sa blessure étant incurable, il renonce à son immortalité.

SYRINX

Le dieu Pan s'éprend de la nymphe des bois Syrinx, qui, pour échapper à son poursuivant, se change en roseau. Elle se cache ainsi au milieu des plantes aquatiques. Pan entend le vent siffler dans les roseaux, ce qui lui donne l'idée de les couper pour fabriquer un instrument de musique avec des tiges de différentes longueurs. Il l'appelle syrinx, en souvenir de sa bien-aimée, mais on le connaît plutôt sous le nom de flûte de Pan.

Écho regarde Narcisse, qui fixe son propre reflet

Éros

ÉCHO ET NARCISSE

La nymphe Écho, qui fait partie de la suite d'Héra, agace l'ombrageuse épouse de Zeus en lui parlant sans cesse des aventures amoureuses du dieu. Pour la punir, Héra fait en sorte qu'elle ne puisse plus parler sauf pour répéter ce qu'elle entend. Écho s'éprend du beau Narcisse, qui la rejette puisqu'il ne s'intéresse qu'à sa propre image. Elle s'enfuit alors et dépérit, ne laissant derrière elle que sa voix.

LES TROIS GRÂCES

Les Grâces, ou Charites, sont
les filles de Zeus
et de la nymphe marine
Eurynomé, et les servantes
d'Aphrodite. Belles et élégantes,
les trois jeunes femmes,
Aglaé (l'Éclatante),
Euphrosyne (la Réconfortante)
et Thalie (la Florissante), sont
associées
au printemps.

LES TROIS
DESTINÉES

LES DESTINÉES

Les Destinées (Moires pour les Grecs
et Parques pour les Romains),
qui descendent de Zeus
et de la Titanide Thémis, veillent sur
le destin des hommes. On les figure
souvent comme trois vieilles femmes
travaillant le fil du destin. Clotho file,
Lachesis mesure le fil et l'enroule,
Atropos le coupe.

Aglaé
l'Éclatante

Euphrosyne
la Réconfortante

Thalie
la Florissante

LES TROIS
GRÂCES

LES MUSES

Filles de Zeus et de Mnémosyne, les Muses ont
d'abord été associées aux sources et aux
montagnes. Par la suite, elles ont présidé aux
arts et elles ont été placées sous la direction
d'Apollon, surnommé Apollon Musagète,
« conducteur des Muses ». Les Muses vivent
sur le mont Hélicon, en Béotie, près de la
source d'Hippocrène. Elles sont au nombre
de neuf. Calliope est la Muse de la Poésie
épique, Clio celle de l'Histoire, Érato celle
de la Poésie lyrique, Euterpe celle de la
Musique instrumentale, Melpomène
celle de la Tragédie, Polymnie celle
de la Pantomime, Terpsichore celle
de la Danse, Thalie celle
de la Comédie et enfin
Uranie celle
de l'Astronomie.

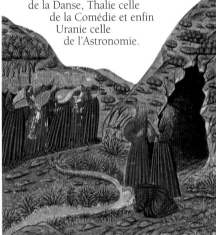

LES NEUF MUSES PRÈS DE LA SOURCE D'HIPPOCRÈNE

*Un satyre
invité*

Heure

*Heure répandant
des fleurs pour
apporter fécondité
et bonheur*

LES NOCES
DE CUPIDON
ET DE PSYCHÉ

SILÈNE
BRÛLANT
UN SACRIFICE
SUR L'AUTEL

SILÈNE

Le vieillard Silène, fils de Pan ou d'Hermès, fait
partie de la suite de Dionysos. Laid et ivrogne,
il n'en est pas moins avisé. Il communique
sa sagesse à Dionysos, qu'il aurait élevé. Trop ivre
pour suivre le cortège du dieu, il oblige
les satyres à le soutenir. Les silènes, ses fils, ont
le même aspect que les satyres.

LES HEURES

Sœurs des Destinées, les trois Heures sont,
d'après Hésiode, Eunomie, l'Ordre, Diké,
la Justice, et Irène, la Paix. Déesses de l'Équité,
elles veillent sur l'ordre social. Déesses
de la nature, elles favorisent le bourgeonnement,
la floraison et la fructification. Elles font partie
de la suite d'Aphrodite et de Perséphone,
et elles prennent soin de l'attelage d'Héra.

LES SATYRES

Mi-hommes, mi-boucs ou chevaux, les satyres
sont des génies forestiers et champêtres. Groupés
autour de Dionysos, ils aiment boire et festoyer,
pourchasser les nymphes et faire fuir ceux
qui traversent les forêts. À l'origine, les satyres
avaient une forme humaine. Mais la déesse Héra,
qui les a jugés incapables de veiller sur Dionysos,
les a transformés en créatures hybrides.

LES MÉNADES

Les ménades, les
« possédées », forment
l'élément féminin de la
suite de Dionysos.
À peine vêtues, elles
jouent une musique
bruyante et dansent
avec frénésie.
Dompteuses d'animaux
sauvages, elles
chevauchent des
panthères.

VOIR AUSSI
ACHILLE 70
APHRODITE 57
APOLLON 56 • ARTÉMIS 56
ASCLÉPIOS 59
CENTAURES 66
DIONYSOS 57 • HÉRA 56
HÉRACLÈS 65 • HERMÈS 56
JASON 64 • MNÉMOSYNE 61
NÉRÉE 59 • PAN 58
PERSÉPHONE 68
THÉMIS 59 • ZEUS 56

LES HÉROS GRECS

Les héros grecs descendent en général d'une divinité et d'un ou d'une mortelle. Ils sont plus forts et plus courageux que la moyenne des hommes. Les récits qui relatent leurs exploits comptent parmi les plus passionnants, mais aussi parmi les plus violents de la mythologie classique. Ils sont souvent construits sur le même modèle. Le héros est un prince qu'un parent jaloux a dépossédé de ses droits. Il grandit en pays étranger et surmonte de multiples épreuves. Il tue des monstres ou des criminels et il montre sa bravoure au combat. À la fin, il regagne sa terre natale et entre en possession de son royaume.

PERSÉE ET MÉDUSE

Le jeune Persée affirme pouvoir trancher la tête de Méduse. Pour y parvenir sans être changé en pierre par la Gorgone, qui fige ceux qui la regardent en face, il sollicite l'aide des dieux. Hermès et Athéna l'envoient chez des nymphes qui lui donnent des sandales ailées, le casque d'Hadès, qui rend invisible, et une besace. Persée vole vers les Gorgones grâce aux sandales ailées. Puis, il trompe leurs sœurs, les Grées, gardiennes de leur antre, en se coiffant du casque magique. Enfin, il utilise son bouclier de bronze comme miroir pour ne pas regarder Méduse en face tandis qu'il lui tranche la tête. Il dépose ensuite celle-ci dans la besace.

PERSÉE BRANDIT LA TÊTE DE MÉDUSE

JASON

Prince de Thessalie, Jason est écarté du pouvoir par son oncle Pélias, qui promet de lui rendre le trône s'il revient avec la Toison d'or. Cette dépouille de bélier appartient au roi de la Colchide (Géorgie actuelle), Æétès, et elle est gardée par un serpent.

CONSTRUCTION DE L'*ARGO*, LE NAVIRE DE JASON

JASON ET LES ARGONAUTES

Avec cinquante compagnons, dont beaucoup sont des héros grecs, Jason fait voile sur l'*Argo* vers la mer Noire. Les Argonautes accomplissent de nombreux exploits. Ils tuent les géants des côtes de Cizyque, sur la mer de Marmara, ils libèrent l'aveugle Phinée des Harpies qui le harcèlent et ils franchissent les Symplégades, rochers mouvants qui ferment le Bosphore.

JASON TUE LE SERPENT ET PREND LA TOISON D'OR.

JASON ET LA TOISON D'OR

Quand Jason arrive en Colchide, Æétès accepte de lui céder la Toison d'or si, en un jour, il attelle deux taureaux crachant du feu, laboure un champ et sème les dents de dragon qui deviendront des soldats à abattre. Jason triomphe des épreuves grâce à la magie de Médée, la fille du roi.

THÉSÉE

Avant de réclamer son trône, Thésée, fils d'Égée, roi d'Athènes, tue le Minotaure, le monstre de Crète, et il exécute des assassins et des voleurs tels que Cercyon et Sciron. Avec Héraclès, il se bat contre les Amazones, puis il empêche la magicienne Médée de l'empoisonner.

Thésée

THÉSÉE ET SINIS

Sinis, fils de Poséidon et géant d'une force prodigieuse, attaque les voyageurs. Il les vole, puis il les écartèle entre deux pins qu'il rapproche puis qu'il relâche brutalement. Ou alors il les projette en l'air. Thésée le tue en le jetant d'une falaise.

Sinis

LA LUTTE DU BIEN ET DU MAL

THÉSÉE ET LE MINOTAURE

THÉSÉE ET LE MINOTAURE

Tous les ans, Minos, le roi de Crète, exige qu'Athènes lui livre sept garçons et sept filles pour nourrir le Minotaure, un monstre mi-homme, mi-taureau enfermé dans le Labyrinthe. Thésée, qui part avec les victimes pour mettre fin aux sacrifices, bénéficie de l'aide d'Ariane, la fille du roi, qu'il promet d'épouser. Ariane lui donne un fil qu'il déroule jusqu'à ce qu'il trouve le Minotaure. Après l'avoir tué, il sort du Labyrinthe en suivant le fil. Thésée et sa compagne, en fuite, font escale à Naxos. Là, Dionysos jette un sort à Thésée pour qu'il abandonne Ariane sur l'île.

HÉRACLÈS

Héraclès (l'Hercule des Romains) est le héros grec le plus célèbre. Il est le seul homme à qui les dieux ont accordé l'immortalité. Dans un accès de folie provoqué par Héra, il tue sa femme et ses enfants. Pour lui faire expier ses crimes, les dieux l'envoient à Eurysthée, roi de Tyrinthe, qui lui confie les Douze Travaux, ses exploits les plus illustres.

UNE FORCE DIVINE

Héra, épouse de Zeus, poursuit de sa vengeance Héraclès, fils que Zeus a eu avec Alcmène. La déesse a d'abord déposé dans le berceau du nouveau-né deux serpents chargés de l'étouffer. Mais le garçon, d'une force surhumaine, a étranglé les reptiles.

HÉRACLÈS ENFANT TUE
LES SERPENTS

LES DOUZE TRAVAUX

1 LE LION DE NÉMÉE
Un lion, qui a la peau si épaisse qu'aucune arme ne peut la transpercer, ravage Némée. Héraclès frappe le lion avec une grosse massue qu'il a lui-même taillée, avant de l'étouffer. Il écorche le lion en s'aidant des griffes acérées.

HÉRACLÈS ET LE LION
DE NÉMÉE

2 L'HYDRE DE LERNE
L'Hydre de Lerne est un serpent à plusieurs têtes qui ont la particularité de repousser deux fois plus nombreuses lorsqu'on les tranche. Héraclès est aidé par son neveu Iolaos, qui brûle le cou du monstre pour empêcher les têtes de surgir.

Héraclès montre le sanglier d'Érymanthe au roi Eurysthée

Héraclès capture la biche

3 LA BICHE DE CÉRYNIE
Sur le mont Cérynie vit une biche aux cornes d'or vouée à Artémis. Héraclès doit la capturer sans la blesser pour ne pas contrarier la déesse. Au bout d'un an de poursuite, il l'attrape au filet, mais la blesse. Pour apaiser Artémis, Héraclès rejette habilement la faute sur Eurysthée.

LA BICHE
DE CÉRYNIE

4 LE SANGLIER D'ÉRYMANTHE
Un énorme sanglier hante le mont Érymanthe et sème le désarroi dans la région. Héraclès doit le rapporter vivant à Eurysthée, qui, en le voyant, se cache dans une jarre, épouvanté.

Eurysthée, effrayé, se cache dans une jarre

5 LES ÉCURIES D'AUGIAS
Héraclès détourne deux fleuves pour nettoyer les écuries du roi Augias, qui n'ont jamais été vidées de leur fumier.

6 LES OISEAUX DU LAC STYMPHALE
Héraclès abat les rapaces mangeurs d'hommes qui infestent le lac Stymphale.

7 LE TAUREAU DE L'ÎLE DE CRÈTE
Héraclès capture le taureau (fils du Minotaure) qui ravage la Crète

8 LES JUMENTS DE DIOMÈDE
Diomède, roi de Thrace, nourrit ses juments de chair humaine. Héraclès le tue et le donne en pâture aux juments qu'il présente, domptées, à Eurysthée.

9 LA CEINTURE D'HIPPOLYTE
Eurysthée convoite la ceinture que porte Hippolyte, la reine des Amazones. Héraclès tue l'Amazone et prend cet ornement.

10 LES BŒUFS DE GÉRYON
Le héros s'empare des troupeaux de bœufs de Géryon, géant à trois têtes, et tue le berger et son chien.

11 LES POMMES D'OR DES HESPÉRIDES
Trois nymphes, les Hespérides, font garder un pommier aux fruits d'or par le dragon Ladon. Héraclès le tue et cueille les pommes.

12 CERBÈRE
La dernière épreuve consiste à enchaîner Cerbère, chien à trois têtes gardien des Enfers.

DÉDALE ET ICARE
Artiste, artisan et inventeur, Dédale travaille en Crète, où il conçoit le Labyrinthe pour Minos et le fil qui permet d'en sortir pour Thésée. Le roi, furieux que Thésée ait tué le Minotaure et se soit enfui, y emprisonne Dédale et son fils, Icare. Dédale s'évade grâce aux ailes qu'il fabrique pour Icare et pour lui-même et qu'il fixe avec de la cire. Dédale atterrit sain et sauf. Mais Icare, qui n'écoute pas les conseils de son père, vole trop près du soleil. La cire fond, les ailes se détachent et Icare tombe dans la mer.

BELLÉROPHON
Le héros Bellérophon dompte le cheval ailé Pégase, tue Chimère, monstre crachant du feu, défait des armées, abat des géants et combat les Amazones. Monté sur Pégase, il cherche à atteindre l'Olympe, mais il est précipité à terre par sa monture.

CRÉATURES MYTHIQUES

La mythologie grecque fourmille de récits qui relatent les amours des créatures fabuleuses. De leurs accouplements naissent des êtres hybrides hideux ou des monstres amateurs de chair humaine. Les dieux se servent parfois de ces êtres terrifiants pour punir leurs ennemis ou ceux qui provoquent leur déplaisir. Un héros, tel Persée ou Héraclès, se charge souvent de libérer la terre de ces monstres ou de leur ôter leurs pouvoirs.

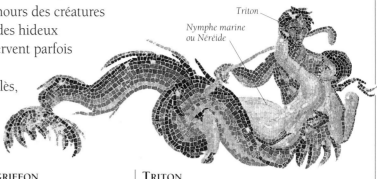

Triton

Nymphe marine
ou Néréide

CYCLOPE

Œil
unique

Tête
d'aigle

LE GRIFFON

Le griffon possède le corps d'un lion et les ailes et la tête d'un aigle. Les dieux l'emploient comme gardien. Il veille sur les trésors d'Apollon et sur la coupe à vin de Dionysos. D'après un autre mythe, les griffons vivent dans le nord de l'Inde, où ils éloignent les chercheurs d'or pour protéger leurs nids.

TRITON

De l'union de Poséidon, dieu de la Mer, et d'Amphitrite, son épouse, naît Triton, mi-homme, mi-poisson. Comme son père, le monstre marin est maître des vagues. Au cours de la bataille entre les dieux et les Titans, il terrifie ces derniers en soufflant dans sa conque. Bienveillant, il vient en aide aux Argonautes pour leur indiquer la route à suivre. Triton a donné son nom à une série de monstres marins formant la suite de Poséidon.

VASE
EN FORME
DE GRIFFON

LES CYCLOPES

Les Cyclopes sont des géants qui possèdent un seul œil au milieu du front. Trois d'entre eux sont les fils de Gaia et d'Ouranos. Cronos les a enfermés au plus profond des Enfers, dans le Tartare, mais Zeus les délivre pour qu'ils l'aident à vaincre les Titans. Forgerons, ils lui fabriquent sa foudre.

LES GÉANTS AUX CENT BRAS

Les Hécatonchires sont trois géants, fils de Gaia et d'Ouranos, pourvus de cent bras et de cinquante têtes. Comme leurs frères les Cyclopes, ils secondent Zeus dans sa lutte contre les Titans.

LES CENTAURES

Ces monstres, qui ont la tête et le torse d'un homme et le corps d'un cheval, sont les enfants de Centauros, fils d'Apollon. La plupart d'entre eux sont des brutes qui se nourrissent de chair crue. Batailleurs, ils attaquent les Lapithes, leurs pacifiques voisins, qui les ont conviés au mariage de leur souverain. Beaucoup de centaures meurent ce jour-là. Chiron, l'un des rares centaures sage et cultivé, a éduqué Asclépios, Jason et Persée.

Centaure   Lapithe

Les victimes offertes
en sacrifice
au Minotaure

Le Minotaure

LE MINOTAURE

Le monstre crétois engendré par Pasiphaé, fille du Soleil, et un taureau a le corps d'un homme et la tête d'un taureau. Le roi Minos enferme ce dévoreur d'hommes dans le Labyrinthe, construit par Dédale, où Thésée le retrouve et le tue.

LE SERPENT DE MER

Cassiopée, reine de Joppa, en Palestine, affirme que sa fille Andromède est plus belle que les Néréides. Celles-ci protestent auprès de Poséidon, qui envoie un serpent de mer pour punir Cassiopée et dévaster son pays. Andromède est attachée à un rocher et livrée au monstre. Persée la délivre, puis l'épouse.

Persée   Le serpent   Andromède
               de mer   enchaînée au rocher

LES HARPIES

Oiseaux à tête de femme, les Harpies, qui sont trois ou quatre, vivent sur les îles Strophades, dans la mer Ionienne. Là elles dévorent les âmes et les enfants. En Thrace, elles torturent Phinée en souillant sa nourriture jusqu'à l'arrivée des Argonautes. Le roi, prophète trop habile, a déplu à Zeus, qui l'a puni. Les fils de Borée, Zéthée et Calaïs, le débarrassent des monstres.

LES HARPIES SANGUINAIRES ENLÈVENT LES ENFANTS

MÉDUSE AVEC SA CHEVELURE DE SERPENTS

MÉDUSE

La plus connue des Gorgones est la fille préférée du dieu marin Phorcys. Il lui donne le pouvoir de se changer en une belle femme si elle renonce à son immortalité. Dans un autre récit, Athéna, jalouse, change les cheveux de Méduse en serpents.

LES GRÉES

Les Grées, Pemphrédo (la Méchante), Dino (la Terrible) et Ényo (la Belliqueuse), sont nées vieilles. Elles gardent l'antre des Gorgones, leurs sœurs. Persée les oblige à révéler comment on s'approche de Méduse, afin de la tuer.

ÉCHIDNA

Échidna, qui a la forme d'un serpent, est qualifiée de « mère de tous les monstres ». Avec le géant Typhon, elle a engendré quelques-uns des monstres les plus effrayants de la mythologie grecque : Chimère, l'Hydre de Lerne, Cerbère et le Sphinx.

LE SPHINX

Monstre ayant une tête de femme, un corps de lion et des ailes, le Sphinx a été envoyé à Thèbes par Héra pour punir les amours coupables du roi Laïos. Le monstre soumet la même énigme aux Thébains isolés qu'il surprend dans la ville ou au-dehors : « Quel animal a d'abord quatre pattes, puis deux, et enfin trois ? » Il dévore ceux qui ne savent répondre jusqu'au jour où Œdipe trouve la solution : c'est l'homme, qui, enfant, marche à quatre pattes et s'aide d'une canne en vieillissant. Désespéré, le monstre se suicide.

Tête de femme

Ailes d'oiseau

Corps de lion

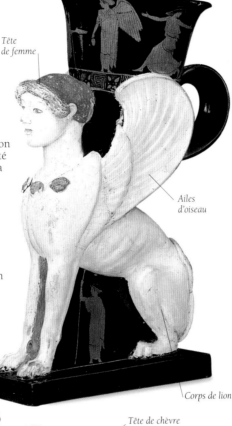

LES GORGONES

Les Gorgones, Sthéno, Euryale et Méduse (la seule mortelle des trois), sèment l'épouvante avec leur chevelure formée de serpents et leur corps couvert d'écailles. Leur terrible regard change en pierre quiconque les regarde. Elles résident dans une grotte.

Pégase

Persée

Tête de Méduse

PÉGASE

Du sang qui s'écoule de la tête de Méduse, naît Pégase, le cheval ailé. Bellérophon dompte l'animal et le chevauche jusqu'au repaire de Chimère, qu'il tue. Lorsque le héros tente d'atteindre l'Olympe, Zeus envoie un taon piquer Pégase afin qu'il désarçonne son cavalier.

Serpent en guise de queue

Tête de chèvre

Corps et tête de lion

CHIMÈRE

[Chimè]re possède un corps [de lion], une tête de chèvre [qui é]merge du dos, [une q]ueue de serpent, [et qui] crache [des f]lammes. Fille [de]s monstres Typhon [et] Échidna, Chimère sert l'animal de compagnie au roi de Carie avant de s'enfuir et de s'installer sur une montagne de Lycie. Elle dévaste le royaume jusqu'à ce que le roi de Lydie, Iobatès, demande à Bellérophon de la tuer.

Chimère peut cracher du feu

ENFERS ET CHÂTIMENTS

Après le décès, les Grecs considèrent que l'âme rejoint le royaume
des morts, sur lequel règnent le dieu Hadès, et la déesse Perséphone.
Dans les Enfers, appelés aussi Hadès, du nom de leur maître, le défunt
comparaît devant trois juges, Éaque, Minos et Rhadamante. S'il s'est mal
comporté durant sa vie, il est puni. Les Enfers ont leur propre
géographie. Les premiers Grecs les situent au-delà du fleuve Océan,
qui est censé entourer la Terre. Par la suite, leurs descendants les placent
sous la terre. C'est un royaume qui se compose de rochers, de grottes,
de cinq fleuves, de deux régions où l'on supplicie les âmes, l'Érèbe
et le Tartare, et enfin des Champs Élysées, séjour des bienheureux.

ORPHÉE ET EURYDICE
Le musicien Orphée ne supporte
pas la mort de sa femme Eurydice.
Descendu aux Enfers pour
la ramener sur terre, il charme
Cerbère avec sa lyre et rencontre
Hadès et Perséphone. Émus par
son désespoir, ils lui permettent
d'emmener Eurydice
à la condition qu'il ne se retourne
pas avant d'avoir quitté
leur royaume. Mais Orphée
désobéit, condamnant ainsi
Eurydice, à rester dans l'Hadès.

CHARON
Pour rejoindre
l'Hadès, les morts
traversent le fleuve
Styx grâce à Charon,
qui fait le passeur.
Vieillard irascible,
il exige de recevoir
une obole pour
ses services. C'est
pourquoi les Grecs
déposent une pièce
de monnaie dans
la bouche des défunts.

CHARON TRANSPORTE LES ÂMES
SUR L'AUTRE RIVE DU STYX

HADÈS ET PERSÉPHONE SUR
LEUR TRÔNE

LES CHAMPS ÉLYSÉES
Les premiers Grecs
croyaient qu'après leur
mort les hommes bons
rejoignaient les Champs
Élysées, ou séjour des
bienheureux, situés
à l'ouest du fleuve
Océan, qui entoure
la Terre. C'est un lieu
paradisiaque
où les âmes festoient
et pratiquent le sport,
la poésie et la musique.
Les Champs Élysées
sont gouvernés par
le Titan Cronos.

HÉCATE,
DÉESSE
DE LA
MAGIE

LE STYX ET LES AUTRES FLEUVES
Cinq fleuves arrosent les Enfers. L'Achéron
(l'Affliction) charrie des eaux stagnantes
et amères, et le Phlégéton du feu. Le Cocyte
(le fleuve des Gémissements) accueille les morts
sans sépulture, qui y demeurent cent ans.
Le Styx, où coule la haine, est le plus long
de tous : il fait neuf fois le tour de l'Hadès. Enfin,
les morts boivent l'eau du Léthé (l'Oubli)
pour perdre le souvenir de leur vie passée.

HADÈS
Hadès, dieu des Morts, est le fils
des Titans Cronos et Rhéa. Après
la victoire des dieux sur les Titans,
il a reçu le royaume souterrain
en partage. Il est aussi un dieu
de la Prospérité, car il est
le propriétaire des riches mines
enfouies dans le sol. Par
son mariage avec Perséphone, fille
de Déméter, déesse de la Terre,
il est associé à la fertilité.

PERSÉPHONE
Un jour que Perséphone, déesse
du Blé et jeune femme d'une grande
beauté, cueille une fleur à l'écart
de ses compagnes, elle est enlevée
par Hadès. Le dieu des Morts
l'emmène sur son char jusqu'aux
Enfers, où il l'épouse. Déméter
se plaint à Zeus et obtient que sa
fille revienne sur terre les deux tiers
de l'année et passe le tiers restant
avec son époux dans le monde
souterrain.

CERBÈRE
Chien ayant trois têtes, une queue
de serpent et le dos hérissé de têtes
de serpent, Cerbère est le redoutable
gardien de l'Hadès. Placé devant
la porte des Enfers, il en interdit
l'entrée aux vivants.

HÉCATE
Hécate, déesse
de la Magie et des
Sorcières, réside aux
Enfers, où elle préside
aux enchantements
et aux cérémonies. Sur
terre, Hécate, qui est
suivie de ses chiens,
emprunte diverses
formes. Elle apparaît
sous l'aspect d'une
louve, d'une jument
ou d'une femme à trois
têtes surmontées de
torches. Elle se tient
souvent aux carrefours.

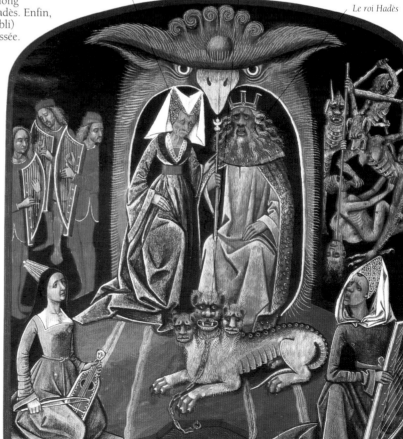

La reine Perséphone

Cerbère

Le roi Hadès

ŒDIPE
ET ANTIGONE

LE ROI MIDAS

Midas, roi de Phrygie (en Asie Mineure), est parfois considéré comme le fils de la déesse Cybèle. Les légendes lui prêtent un caractère irréfléchi. Trop bavard, il parle sans mesurer les conséquences de ses paroles.

DES OREILLES D'ÂNE

Apollon remporte le concours de musique qui l'oppose à Pan ou à Marsyas, selon les versions du récit. Midas déclare injuste la décision du juge. Apollon le punit de son insolence en lui infligeant des oreilles d'âne qu'il cache sous un bonnet phrygien et dont il ne doit pas parler. Son barbier, seul au courant, ne peut tenir le secret, qu'il chuchote dans un petit trou d'où émergent ensuite des roseaux qui murmurent « Midas a des oreilles d'âne ».

ŒDIPE

Un oracle ayant prédit qu'Œdipe tuerait son père, le roi Laïos, et épouserait sa mère, la reine Jocaste, son géniteur le voue à une mort certaine dès sa naissance. Mais Œdipe survit et, des années plus tard, il supprime Laïos et épouse sa mère sans savoir qui ils sont. Quand le couple apprend la vérité, Jocaste se suicide. Œdipe se crève les yeux, puis il s'exile.

TANTALE

Le roi de Lydie (en Asie Mineure) Tantale, qui doute de la toute-puissance et de l'omniscience des dieux, les invite à un banquet où il leur sert Pélops, son propre fils. Il est curieux de savoir s'ils vont identifier ce qu'ils mangent. Les dieux réalisent aussitôt qu'il s'agit de chair humaine. Ils ramènent Pélops à la vie et condamnent Tantale à souffrir éternellement de faim et de soif aux Enfers.

Tout ce que touche Midas se change en or.

UN VŒU MAUDIT

Des paysans confient Silène, ivre et enchaîné, à Midas. Le roi, qui reconnaît le compagnon de Dionysos, le ramène au dieu. Dionysos, reconnaissant, offre à Midas d'exaucer le vœu qu'il formulera. Le souverain souhaite que tout ce qu'il touche se transforme en or. Il réalise son erreur quand sa nourriture se change en or. Pour mettre fin à son supplice, Dionysos l'envoie se baigner dans la rivière Pactole, qui, depuis, charrie des pépites d'or.

Atlas

L'aigle dévore le foie de Prométhée

SISYPHE

Renvoyé sur terre pour célébrer ses funérailles, Sisyphe, roi de Corinthe, en profite pour remonter sur son trône. Après sa mort, il est condamné à pousser éternellement un rocher sur une colline.

LE TITAN ATLAS
FACE À SON FRÈRE
PROMÉTHÉE
ENCHAÎNÉ

PROMÉTHÉE

Le Titan Prométhée aide la race humaine, souvent aux dépens des dieux. Lors d'un festin, il trompe Zeus en lui faisant choisir les os et la graisse tandis qu'il réserve la viande aux hommes. Il vole le feu à Héphaïstos pour le donner à ses protégés, auxquels il apprend à travailler le métal. Furieux, Zeus enchaîne Prométhée sur le Caucase, où un aigle lui ronge le foie, lequel repousse sans cesse. Héraclès met fin à son supplice en tuant l'aigle.

VOIR AUSSI

APOLLON 56 • DÉMÉTER 57
DIONYSOS 57
HÉPHAÏSTOS 57
NYMPHES 62 • OLYMPE 56
POSÉIDON 57
SATYRES 63
SILÈNE 63 • ZEUS 56
DIEUX ET DÉESSES 10
Y A-T-IL UNE FIN ? 18

LA GUERRE DE TROIE

L'enlèvement d'Hélène, la femme du roi de Sparte Ménélas, par le prince troyen Pâris, qui bénéficie de la complicité d'Aphrodite, déclenche une longue guerre. Pendant dix ans, le conflit oppose les Grecs à la ville de Troie, située en Asie Mineure. De nombreux héros grecs, ou achéens, participent à l'expédition. Parmi eux figure Achille, que sa mère a trempé dans le Styx pour le rendre invulnérable. Elle a toutefois omis de plonger le talon par lequel elle le tenait. Les Achéens sont commandés par Agamemnon, roi d'Argos et frère de Ménélas, et les Troyens par Hector. Les dieux soutiennent soit les Grecs, soit les Troyens. Le poète Homère, qui a vécu au IXe siècle avant J.-C., a relaté cette épopée dans *l'Iliade*.

MÉNÉLAS ET HÉLÈNE

Héra
Aphrodite
Pâris

ÉGISTHE ET CLYTEMNESTRE GUETTENT AGAMEMNON

MÉNÉLAS
Ménélas a succédé au père d'Hélène sur le trône de Sparte. Quand il apprend l'enlèvement de sa femme, il convoque ses alliés grecs. Il est brave, mais peu efficace au combat sauf quand, à Troie, il affronte Pâris. Le Troyen ne doit son salut qu'à la déesse Aphrodite.

HÉLÈNE
Reine de Sparte, Hélène est la récompense que Pâris reçoit d'Aphrodite. Ils s'enfuient à Troie en l'absence de Ménélas, parti en Crète assister aux funérailles de son grand-père. Leur fuite provoque la guerre de Troie.

AGAMEMNON
Agamemnon, roi d'Argos, qui dirige l'expédition des Grecs contre Troie, est confronté à de graves difficultés. Pour obtenir des vents favorables qui permettent le départ de la flotte, il sacrifie sa fille Iphigénie. Au cours du siège de Troie, il se bat jusqu'à ce qu'une blessure l'oblige à abandonner la bataille.

CLYTEMNESTRE
Épouse d'Agamemnon et fille du roi de Sparte, Clytemnestre est indignée par le sacrifice d'Iphigénie. Après le départ de son époux, elle se venge en prenant pour amant Égisthe, le frère de son premier mari, supprimé par Agamemnon. Quand ce dernier revient, elle l'assassine avec la complicité d'Égisthe.

PÂRIS
Lors des noces de Thétis et de Pelée, la déesse Éris (la Discorde) jette une pomme en or sur laquelle est écrit « À la plus belle ». Zeus confie à Pâris, prince troyen, le soin de décider qui d'Aphrodite, d'Athéna ou d'Héra mérite le titre. Athéna offre à Pâris la sagesse, et Héra le pouvoir. Mais c'est à Aphrodite, qui lui promet Hélène, la plus belle des femmes, qu'il remet la pomme.

ORESTE TUE ÉGISTHE

ACHILLE DÉCOUVRE LE CADAVRE DE PATROCLE

ACHILLE ET PATROCLE
Achille, le guerrier grec le plus redouté, cesse le combat après qu'Agamemnon lui a enlevé sa concubine. Patrocle, fidèle ami d'Achille, revêt les armes du héros pour faire croire aux Troyens qu'il participe toujours au combat. Après la mort de Patrocle, Achille, meurtri, reprend les armes et tue Hector avant d'être mortellement blessé au talon par une flèche de Pâris.

ORESTE
Oreste, le fils d'Agamemnon, qui est absent lors de l'assassinat de son père par Clytemnestre et Égisthe, jure de venger ce crime. Des années plus tard, il pénètre dans le palais royal avec l'aide de sa sœur Électre. Clytemnestre et Égisthe, qui le croient mort, ne se méfient pas et périssent tous les deux de sa main.

Statue d'Athéna

Cassandre

Ajax arrache Cassandre à la statue d'Athéna

Les Troyens tirent le cheval

AJAX, FILS DE TÉLAMON

L'autre Ajax, fils du roi Télamon de Salamine, doit sa force à Héraclès. Guerrier grec le plus puissant après Achille, il met en sûreté le corps et les armes du héros mort tandis qu'Ulysse retient les Troyens. Les chefs grecs ayant attribué les armes d'Achille à Ulysse, Ajax, jaloux, veut les exterminer. Mais Athéna dévie sa folie meurtrière vers un troupeau de moutons. Lorsqu'il reprend ses esprits, il se suicide.

LE CHEVAL DE TROIE

À l'instigation d'Ulysse, les Grecs font semblant de lever le camp et laissent sur la plage un immense cheval de bois. Les Troyens, qui le considèrent comme un cadeau de paix, l'introduisent dans leurs murs. Là, les guerriers dissimulés dans le cheval ouvrent les portes aux Achéens, qui s'emparent de Troie.

CASSANDRE

Dans Troie en flammes, Cassandre, la fille de Priam, se place sous la protection de la statue d'Athéna, ce qui n'empêche pas Ajax, fils d'Oïlée, roi des Locriens, de la violer et de provoquer le courroux de la déesse, qui le fait disparaître pendant le voyage de retour des Grecs. Cassandre, prophétesse que personne ne croit, accompagne Agamemnon en Grèce. Elle prévient le roi d'un danger, mais il ne l'écoute pas et se fait assassiner par Clytemnestre.

Hector

Andromaque

Astyanax

HÉCUBE DEVANT LE CORPS DE SON ÉPOUX, PRIAM

ANDROMAQUE

Andromaque, la femme d'Hector, est la Troyenne qui a eu le destin le plus tragique. Violée, réduite en esclavage, elle a vu les Grecs jeter son fils, Astyanax, du haut des remparts. Andromaque, qui a enduré ses souffrances avec dignité, trouve enfin la paix aux côtés d'Hélénos, roi de l'Épire.

LA FUITE DES TROYENS

Selon la légende, Énée, conseillé par les dieux, quitte Troie avant sa chute. Avec son père, Anchise, il rassemble des survivants et s'enfuit en bateau. Il fait étape en Crète puis en Sicile, où périt Anchise, et à Carthage, sur la côte de l'Afrique du Nord, avant de se fixer en Italie, où ses descendants fonderont Rome.

ANCHISE

Cousin de Priam, le roi de Troie, Anchise séduit Aphrodite par sa beauté. De leur union naît Énée. Anchise fuit avec son fils et meurt en Sicile.

ÉNÉE

Dans la mythologie grecque, Énée, le fils d'Aphrodite, est un guerrier secondaire de la guerre de Troie. Pour les Romains, Énée, héros d'ascendance divine, est l'ancêtre de leur peuple. Son histoire, qui commence avec la fuite de Troie et se termine par la conquête du Latium, est relatée par Virgile dans l'Énéide.

Anchise

Énée

PRIAM

Priam, roi de Troie, règne sur l'une des plus puissantes cités d'Asie Mineure. Lorsque la guerre éclate, Priam est trop âgé pour prendre part au conflit. Il ne peut que pleurer la mort de ses fils Hector et Pâris. Il est tué lors de la prise de la ville.

HÉCUBE

Au moment de la naissance de Pâris, Hécube voit en rêve la destruction de la ville, ce qui l'incite à abandonner le nourrisson. Mais on le retrouve et on le ramène à Troie. Après la guerre, Hécube est réduite en esclavage.

Achille

Le corps d'Hector

HECTOR

Hector est le meilleur guerrier de Troie. Il a tué un grand nombre de Grecs dont Patrocle, l'ami d'Achille, et blessé des héros comme Agamemnon et Ulysse. Après la mort de son compagnon, Achille défie Hector en combat singulier. Le Troyen croit épuiser Achille en courant autour des remparts. Achille, cependant, le rattrape, le tue et fait le tour de la ville entraînant le cadavre du Troyen derrière son char. Après que sa mère l'en a prié, il rend le corps à Priam, éploré.

VOIR AUSSI

APHRODITE 57
ATHÉNA 56
HÉRACLÈS 65
ULYSSE 72
ZEUS 56

MYTHES DE LA CRÉATION 8
DIEUX ET DÉESSES 10
HÉROS ET TRICKSTERS 12
MONSTRES MYTHIQUES 14
ANIMAUX ET PLANTES 16
Y A-T-IL UNE FIN ? 18

L'ODYSSÉE

L'Odyssée, grand poème épique composé par Homère, raconte le retour mouvementé d'Ulysse et de ses compagnons après la guerre de Troie. Pour punir Ulysse d'avoir aveuglé son fils, le Cyclope Polyphème, Poséidon, dieu de la Mer, condamne le souverain d'Ithaque à errer pendant vingt ans avant de rentrer chez lui. Ulysse est le héros de nombreuses aventures. Au cours de son périple, il rencontre les mangeurs de lotus, les sirènes, la nymphe Calypso et les monstres Charybde et Scylla. À la fin du voyage, il aborde seul sur son île, où on ne le reconnaît pas.

LES VENTS POUSSENT ULYSSE VERS ITHAQUE, SA PATRIE

Ulysse aveugle Polyphème

ULYSSE ENFONCE UN PIEU DANS L'ŒIL DU CYCLOPE

ÉOLE

Le dieu des Vents, Éole, secourt Ulysse lorsqu'il appareille de l'île des Cyclopes. Éole donne au héros une outre gonflée qui renferme tous les vents sauf celui qui doit ramener les navires à Ithaque, patrie d'Ulysse. Mais, attirés par l'appât du gain, les marins ouvrent l'outre, qui, pensent-ils, renferme un trésor. Les vents s'échappent et repoussent les bateaux loin d'Ithaque, qui est en vue. Ils abordent au pays des Lestrygons, géants anthropophages, auxquels n'échappe que l'équipage d'Ulysse.

Un marin changé en animal

Ulysse

Circé

LES LOTOPHAGES

Après le départ de Troie, les vents poussent les navires d'Ulysse et de ses compagnons vers le sud, vers le pays des Lotophages. Ce peuple mange d'un fruit étrange et exquis, le lotus, qui provoque l'oubli de tout ce qu'on a vécu auparavant. Quelques Grecs y goûtent. Ils perdent aussitôt la mémoire et l'envie de poursuivre le voyage. Il faut les porter jusqu'aux navires. Heureusement, la majorité des marins refuse la nourriture des Lotophages. Ulysse reprend le large sans s'être ravitaillé.

POLYPHÈME

Ulysse et ses amis débarquent en Sicile, au pays des Cyclopes, dans l'antre de leur chef, Polyphème. Lorsque celui-ci rentre avec son troupeau, il emprisonne les marins et en mange quelques-uns. Ulysse fait boire le geôlier et lui enfonce un pieu dans l'œil. Quand le Cyclope revient à lui, il laisse sortir ses moutons. Comme il est aveugle, il tâte chaque mouton pour s'assurer que ce n'est pas un marin, mais les Grecs s'enfuient en s'agrippant au ventre des animaux.

ULYSSE

Ulysse, roi d'Ithaque, d'abord réticent à l'idée de combattre les Troyens, joue ensuite un rôle important dans la guerre. Astucieux et inventif, il imagine le cheval de Troie, qui permet aux Grecs de prendre la ville. Le stratagème employé par Ulysse pour sortir de la grotte de Polyphème fonctionne à merveille, car le géant ne tâte que le dos de ses moutons. Lorsque les Cyclopes demandent au géant qui l'a mutilé, il répond « Personne », le nom que lui a donné le rusé Ulysse.

ULYSSE MENACE CIRCÉ DE SON ÉPÉE

CIRCÉ

Après l'île des Cyclopes, Ulysse s'arrête dans l'île d'Aea, où vit Circé. La magicienne offre aux marins envoyés en reconnaissance un breuvage qui les change en porcs. Le héros sauve ses compagnons grâce à Hermès : le dieu lui indique l'herbe magique qui lui livrera Circé. Ulysse prolonge son séjour auprès d'elle une fois que ses compagnons ont retrouvé leur forme primitive.

TIRÉSIAS

Circé envoie Ulysse consulter Tirésias aux Enfers. Ce prophète prédit qu'il retournera à Ithaque, où les prétendants se pressent autour de Pénélope, son épouse.

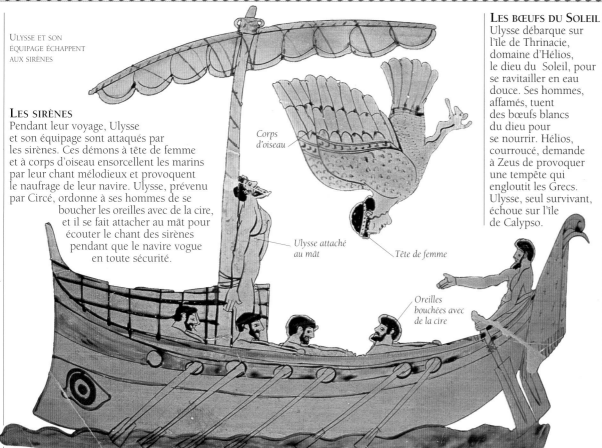

ULYSSE ET SON
ÉQUIPAGE ÉCHAPPENT
AUX SIRÈNES

LES SIRÈNES
Pendant leur voyage, Ulysse
et son équipage sont attaqués par
les sirènes. Ces démons à tête de femme
et à corps d'oiseau ensorcellent les marins
par leur chant mélodieux et provoquent
le naufrage de leur navire. Ulysse, prévenu
par Circé, ordonne à ses hommes de se
boucher les oreilles avec de la cire,
et il se fait attacher au mât pour
écouter le chant des sirènes
pendant que le navire vogue
en toute sécurité.

*Corps
d'oiseau*

*Ulysse attaché
au mât*

Tête de femme

*Oreilles
bouchées avec
de la cire*

LES BŒUFS DU SOLEIL
Ulysse débarque sur
l'île de Thrinacie,
domaine d'Hélios,
le dieu du Soleil, pour
se ravitailler en eau
douce. Ses hommes,
affamés, tuent
des bœufs blancs
du dieu pour
se nourrir. Hélios,
courroucé, demande
à Zeus de provoquer
une tempête qui
engloutit les Grecs.
Ulysse, seul survivant,
échoue sur l'île
de Calypso.

NAUSICAA
Nausicaa, la fille
d'Alcinoos, le roi
des Phéaciens, s'amuse
avec ses suivantes sur
la plage lorsqu'elle est
abordée par Ulysse,
victime d'un nouveau
naufrage, qui cherche
de l'aide. Elle amène
le héros à son père,
à qui il raconte
ses aventures. Le roi
prête à Ulysse
un de ses bateaux,
chargé de présents,
afin qu'il retourne
à Ithaque.

EUMÉE
Eumée, le maître
porcher d'Ulysse, est
son plus fidèle
serviteur. Athéna
informe Ulysse qu'en
l'absence de son fils,
Télémaque, parti à sa
recherche,
les prétendants
de Pénélope ont pris
possession du palais
royal. Dès son arrivée à
Ithaque, elle lui conseille
de se rendre chez
Eumée, qui l'aidera
à rétablir son autorité.

PÉNÉLOPE
Convaincue que son époux, Ulysse, est toujours
en vie, Pénélope attend fidèlement son retour.
Les prétendants la pressent d'abandonner tout
espoir et de se remarier. Finalement, elle consent
à épouser l'un d'eux lorsqu'elle aura achevé sa
tapisserie. Mais, chaque nuit, elle défait l'ouvrage
brodé pendant le jour. Cette ruse lui permet
de faire patienter ses prétendants jusqu'au retour
d'Ulysse.

Ulysse

Pénélope

*Ulysse entre
Charybde
et Scylla*

CHARYBDE
ET SCYLLA
Charybde, le gouffre,
et Scylla, aux eaux
tourbillonnantes,
sont deux monstres
femelles qui gardent
le détroit de Messine,
entre la Sicile et
l'Italie, et dévorent
les marins. Ulysse
préfère longer l'antre
de Scylla, créature
dont les six têtes
dévorent chacune un
de ses hommes, plutôt
que d'affronter
le gosier béant
de Charybde.

CALYPSO
La nymphe Calypso,
qui habite l'île flottante
d'Ogygie, recueille
Ulysse, seul survivant
du naufrage provoqué
par Zeus. Elle s'éprend
de lui et lui offre
l'immortalité pour qu'il
reste à jamais auprès
d'elle. Le héros vit avec
elle pendant huit ans, mais
il se languit de son île
et de son épouse. Zeus
envoie Hermès convaincre
Calypso de le laisser partir.
Elle lui donne alors de quoi
construire un radeau
et des provisions.

CALYPSO
ET ULYSSE

TÉLÉMAQUE
Lorsque Télémaque
revient après être parti
à la recherche
de son père,
il rencontre Ulysse chez
le fidèle Eumée.
Une fois convaincu
de son identité, il l'aide
à éliminer
les prétendants
et à retrouver son trône.

HÉROS ROMAINS

Les Romains vouent une profonde admiration aux hommes d'action, guerriers et chefs puissants. Beaucoup de héros de la Rome antique doivent leur popularité au fait qu'ils ont contribué à la gloire de la ville et de son empire. Les fondateurs de Rome et les sept premiers rois, considérés comme des héros, jouissent d'une vénération particulière. Le plus important de ces personnages est Énée, le prince de Troie, destiné par sa mère, Aphrodite (Vénus), à fonder une prestigieuse lignée. À cause de l'origine de leur ancêtre, les Romains considèrent que toute leur civilisation est de nature divine.

LA SIBYLLE ET ÉNÉE DESCENDENT AUX ENFERS

ÉNÉE

L'Énéide, le poème épique de Virgile, relate comment Énée, fils du prince de Troie, Anchise, et d'Aphrodite, est arrivé en Italie et comment il y est devenu roi. Par sa mère, il rattache les Romains aux dieux.

DIDON ET ÉNÉE
Après la chute de Troie, Énée et ses compagnons accostent sur la côte d'Afrique du Nord. Énée s'éprend de la reine Didon, fondatrice de Carthage, et veut rester près d'elle. Mais, par l'intermédiaire de Mercure, Jupiter lui rappelle que son destin est de se rendre en Italie. Il abandonne donc Didon.

LA SIBYLLE
La mythologie classique compte plusieurs sibylles, ou prophétesses. Pour les Romains, la plus importante est la prêtresse d'Apollon, qui rend ses oracles à Cumes, en Italie. Le dieu lui accorde un millier d'années, mais non la jeunesse. Avec l'âge, elle se dessèche à tel point que les prêtres finissent par la placer dans une jarre suspendue au mur. Quand Énée lui rend visite, la sibylle l'emmène aux Enfers, où son père, Anchise, lui révèle le glorieux destin de Rome.

TURNUS
Turnus, fils du roi Daunus et de la nymphe Vénilia, règne sur les Rutules, un peuple d'Italie. Il est fiancé à Lavinia, la fille de Latinus, roi du Latium, son voisin. Quand Énée s'installe dans le Latium, Latinus lui promet sa fille. Turnus déclare la guerre à Latinus et à Énée, mais il périt au cours du conflit.

ASCAGNE
Ascagne, également appelé Iule, est le fils d'Énée. Il succède à son père à la tête de Lavinium, la ville qu'il a fondée. Il triomphe des Étrusques, puis il fonde Albe la Longue à l'endroit où Énée a sacrifié une truie et ses trente petits. La ville est proche du site où s'élèvera bientôt Rome.

LATINUS
Latinus, le roi du Latium, tente de ramener la paix après le déclenchement du conflit entre Énée et Turnus. Son épouse, Amata, encouragée par Junon à accorder la main de leur fille à Turnus, incite Latinus à combattre Énée. Après la mort de Turnus, Latins et Troyens se réconcilient.

LA MORT DE DIDON
Désespérée par le départ d'Énée, Didon décide de se suicider. Elle fait élever un bûcher funéraire en prétendant qu'il s'agit d'un rite magique destiné à lui ramener son bien-aimé, puis elle se jette dans les flammes en se poignardant.

Didon se poignarde

ROMULUS ET REMUS
Les jumeaux Romulus et Remus sont les fils de Mars et de Réa Silvia, princesse d'Albe la Longue. Abandonnés sur la rive du Tibre après leur naissance, ils sont sauvés par une louve et élevés par un berger. Après avoir tué son frère, Romulus fonde la ville de Rome à l'endroit où tous deux ont été trouvés.

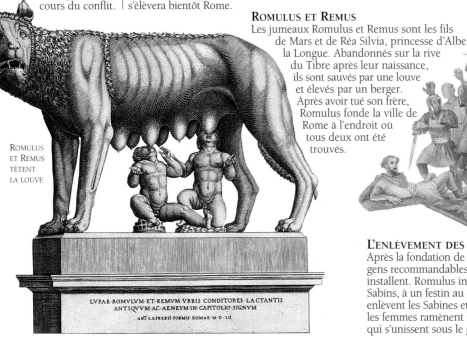

ROMULUS ET REMUS TÈTENT LA LOUVE

LVPAE·ROMVLVM·ET·REMVM·VRBIS·CONDITORES·LACTANTIS ANTIQVVM·AC·AENEVM·IN·CAPITOLIO·SIGNVM ANT·LAFRERII·FORMIS·ROMAE·M·D·LII

L'ENLÈVEMENT DES SABINES
Après la fondation de Rome par Romulus, peu de gens recommandables et surtout peu de femmes s'y installent. Romulus invite le peuple voisin, les Sabins, à un festin au cours duquel les Romains enlèvent les Sabines et provoquent une guerre. Mais les femmes ramènent la paix entre les deux peuples, qui s'unissent sous le gouvernement de Romulus.

LES ROIS LÉGENDAIRES DE ROME

Du VIIIe au VIe siècle avant J.-C., Rome a été dirigée par sept rois mythiques, probablement inspirés de souverains réels. Tite-Live, historien du Ier siècle avant J.-C., a relaté leur vie en se fondant sur les mythes et les légendes plus que sur des faits historiques. Aussi les sept premiers rois appartiennent-ils à la mythologie et non à l'histoire. Les femmes, honnêtes ou perfides, jouent parfois un rôle prépondérant dans le destin souvent tragique de ces grands rois.

TULLUS HOSTILIUS, LE ROI GUERRIER

1 ROMULUS
Romulus, le premier roi de Rome, règne trente-trois ans. Il se noie à cinquante-quatre ans au cours d'une tempête. Après sa mort, il apparaît à un Romain sous la forme du dieu Quirinus.

2 NUMA POMPILIUS
Deuxième roi de Rome, Numa Pompilius élève de nombreux temples et sanctuaires. Doué de pouvoirs magiques, il dialogue avec les dieux, dont Jupiter.

3 TULLUS HOSTILIUS
Grand guerrier, Tullus Hostilius, troisième roi de Rome, conquiert Albe la Longue et consolide la puissance de Rome, qui domine le nord de l'Italie.

4 ANCUS MARTIUS
Le quatrième roi légendaire, Ancus Martius, renforce les fortifications de Rome, agrandit la ville et aménage le port d'Ostie, à l'embouchure du Tibre.

5 TARQUIN L'ANCIEN
Tarquin l'Ancien, d'origine étrusque, est entré dans Rome sur un char à bœufs. Il dote la ville de nombreux monuments, dont le temple de Jupiter, qui réunit les habitants de Rome et des alentours, et le Circus Maximus, où ont lieu les courses de chars.

6 SERVIUS TULLIUS
Le sixième roi de Rome poursuit l'œuvre de son prédécesseur. Il fait ériger le temple de Diane sur le modèle de celui d'Artémis à Éphèse, en Asie Mineure.

7 TARQUIN LE SUPERBE
Tarquin le Superbe est le dernier des sept rois. Il est chassé de son trône par les Romains après que son fils Sextus a violé une jeune fille. C'est la fin de la royauté et le début de la République romaine.

TARQUIN LE SUPERBE CHASSÉ DE ROME

L'EMPEREUR AUGUSTE AURAIT DIT EN MOURANT : « JE CROIS QUE JE DEVIENS UN DIEU »

LA DIVINISATION DES EMPEREURS

L'assassinat de Jules César, dictateur de Rome, en 44 avant J.-C., débouche sur une lutte pour le pouvoir dont Octave sort vainqueur. Octave, à qui l'on confère le nom d'Auguste, devient le premier empereur de Rome. César faisait déjà remonter sa lignée jusqu'à Énée et Aphrodite (Vénus). Les empereurs, quant à eux, deviennent des dieux après leur mort. C'est l'apothéose, décrétée par le Sénat. Certains empereurs, comme Caligula, se font déjà adorer de leur vivant.

CASTOR ET POLLUX
Dans la mythologie grecque, les jumeaux Castor et Pollux, les Dioscures, sont les fils de Zeus et de Léda. Les Romains les vénèrent dans un temple élevé sur le Forum romain près d'une source associée à leur sœur, la nymphe Juturne.

DIVINITÉS ROMAINES

Les Romains ont élaboré une mythologie où se retrouvent des emprunts aux Grecs, établis dans le sud de l'Italie, et aux Étrusques. De nombreux dieux romains ont un équivalent grec, avec une personnalité parfois un peu différente. Mars, par exemple, l'Arès des Grecs, n'est pas seulement le dieu de la Guerre, il est également un dieu de l'Agriculture. Saturne est plus paisible que Cronos, son équivalent grec. Le panthéon s'enrichit des dieux d'autres peuples conquis, comme Cybèle l'Anatolienne ou Isis l'Égyptienne. Les Romains possèdent des dieux qui leur sont propres, tels Janus, les lares et les pénates.

SATURNE

MARS, DIEU ROMAIN DE LA GUERRE

Bouclier de combat

Tenue de guerrier

Vénus

Cupidon

SATURNE

Les Romains identifient Saturne à Cronos. Alors que Cronos avait été vaincu par Zeus, qui l'avait envoyé dans le monde souterrain, Saturne, battu par Jupiter, se réfugie en Italie, où il apprend aux hommes l'agriculture, l'art de construire et les techniques. Après sa mort, il devient la planète Saturne.

CUPIDON ET VÉNUS

Cupidon (le Désir), dieu de l'Amour, est l'équivalent d'Éros. Il n'a pas comme ce dernier l'aspect d'un beau jeune homme, mais celui d'un chérubin qu'on appelle aussi Amour. Il est souvent représenté avec sa mère, Vénus. On le dit aveugle, car il décoche ses flèches sans discernement et sans se soucier des conséquences de ses actes.

MARS

Mars, l'Arès des Grecs, est le dieu de la Guerre. Il occupe le deuxième rang du panthéon romain après Jupiter. Il a été conçu par la seule Junon. Père de Romulus et de Remus, Mars est l'ancêtre de tous les Romains, qui estiment au plus haut point sa force, sa vaillance et son sens de la justice.

Janus à deux visages n'a pas d'équivalent grec

CYBÈLE, LA GRANDE MÈRE

JANUS

Janus, le dieu à deux visages, est l'un des plus anciens dieux romains. Il veille sur les entrées et les portes. Dieu des Commencements, il a donné son nom au mois de janvier. Il est vénéré par les soldats, qui doivent franchir les portes de la ville avant d'aller se battre. Janus passe aussi pour l'inventeur de la monnaie. Des pièces romaines d'une grande ancienneté portent son effigie.

CYBÈLE

La déesse Cybèle, déesse anatolienne originaire de Phrygie (dans l'ouest de l'actuelle Turquie), a d'abord été vénérée par les Grecs, qui l'ont identifiée à Rhéa. Introduite à Rome en 204 avant J.-C., elle devient la Grande Mère, la mère des dieux. Elle est accompagnée par des lions qui tirent son attelage. Les corybantes, ses serviteurs, dansent en son honneur et entrechoquent leurs épées et leurs boucliers. Ses prêtres s'appellent aussi les corybantes.

DIEUX DE LA NATURE

Parmi les dieux les plus anciens de Rome figurent des divinités de la nature, qui président à la croissance et à l'épanouissement des fleurs ainsi qu'à la fertilité et aux récoltes. Tellus ou Terra Mater, la Terre nourricière, Pomone, la déesse des Fruits et des Vergers, et Neptune, dieu des Eaux qui protège la terre de la sécheresse, sont certaines d'entre elles.

POMONE

La nymphe Pomone vit dans les forêts, entre Rome et Ostie, et veille sur les arbres fruitiers d'un bois sacré. Très belle, elle est courtisée par les dieux de la nature. Mais Pomone reste indifférente jusqu'à ce que Vertumne réussisse, non sans mal, à la séduire. Elle est la déesse des Fruits.

VERTUMNE

Corne, symbole d'abondance

Courte tunique

Coupe pour la nourriture

LE GÉNIE, ESPRIT PROTECTEUR DE L'HOMME

LARE, DIEU DOMESTIQUE

VERTUMNE

Dieu du Changement, Vertumne est amoureux de Pomone. Il emprunte la forme d'un ouvrier, d'un moissonneur et d'une vieille femme pour se faire aimer d'elle. Sous ce dernier aspect, il vante ses mérites avec tant de conviction qu'il gagne le cœur de la belle.

LE GÉNIE ET JUNON

Le Génie et Junon, divinité de la nature féminine, sont les génies qui veillent sur les êtres humains de leur naissance à leur mort. Le Génie, souvent figuré comme un serpent, protège les hommes et Junon les femmes. Ils forgent le caractère des individus, influencent leur aspect physique et contrôlent la chance.

LES LARES

Les dieux lares protègent les carrefours et les maisons. On en a fait les fils de Mercure, qui exerce une fonction similaire. La plupart des foyers possèdent des effigies en cire des lares (et des pénates) déposées dans une niche. Lors des mariages, naissances et décès, on leur présente des offrandes.

LES PÉNATES

Les pénates sont les dieux du garde-manger. Chaque foyer en possède deux, qui veillent sur les provisions. Lors des repas, la coutume veut qu'on leur offre de la nourriture. Les pénates protègent aussi la cité.

VESTA

Comme la déesse grecque Hestia, Vesta veille sur le foyer. Dans son temple, à Rome, ses prêtresses, les vestales, entretiennent le feu sacré de la cité, qui ne doit jamais s'éteindre. Les vestales sont mises à mort si elles rompent leur vœu de chasteté.

FLORE, DÉESSE DE LA FLORAISON ET DE LA FÉCONDITÉ

FLORE

Flore, déesse de la Floraison et de la Fécondité, est vénérée par les paysans. Elle possède une fleur magique fécondant les femmes qui la touchent. En prêtant la plante à Junon, elle l'aide à concevoir Mars sans l'intervention de Jupiter.

FAUNUS

Dieu de la Fécondité, Faunus, ancien roi d'Italie, est le père de Latinus. Comme Pan, il est le patron des bergers. On célèbre en l'honneur de ce dieu, qualifié de Lupercus (le Loup), les lupercales.

Roue de la Fortune

Les yeux bandés de Fortuna

FORTUNA

Déesse de la Providence et du Hasard, Fortuna intervient sur la destinée des êtres humains. Avec ses yeux bandés, elle ne voit pas ce qu'elle fait. Ses attributs sont le gouvernail, avec lequel elle pilote la vie des hommes, la roue de la Fortune, avec laquelle elle fait basculer le destin, et la corne d'abondance, remplie de fruits.

EUROPE DU NORD ET DE L'EST

La mythologie nordique – c'est-à-dire celle des peuples de langue germanique dont font partie les Scandinaves – et les mythologies des Celtes, des Finnois et des Slaves sont bien individualisées et très variées. Les mythes nordiques évoquent les combats entre les dieux et les géants. Ceux des Finnois et des Slaves sont centrés sur la Création, la nature, les esprits, les démons et les génies. Enfin, les mythes élaborés par les Celtes célèbrent les épopées des rois, des héros et des guerriers. Ils sont connus plus par les îles Britanniques et l'Irlande que par la Gaule, où ce patrimoine oral s'est presque complètement perdu.

ODIN,
CHEF DU PANTHÉON NORDIQUE

DES THÈMES COMMUNS

Les mythes du nord de l'Europe présentent néanmoins des points communs. Tous possèdent des récits de la Création du monde et des créateurs tels que le dieu scandinave Odin ou la déesse finnoise Luonnotar. Beaucoup mettent en scène des héros, guerriers ou rois, qui mènent leur peuple à la bataille et s'établissent sur de nouveaux territoires. La nature est omniprésente et la mer du Nord, surtout en Scandinavie, joue un rôle majeur.

LA TRANSMISSION DES MYTHES

Certains de ces mythes, véhiculés oralement pendant des siècles, ont été consignés par écrit au Moyen Âge. D'autres n'ont été recueillis par les spécialistes qu'aux XIXe et XXe siècles.

LA CRÉATION NORDIQUE

De la rencontre entre Niflheim, le pays des ténèbres et du froid, au nord, et Muspell, le royaume du feu, au sud, naissent les premiers géants. L'Univers lui-même est l'œuvre d'Odin, le chef des dieux, et de ses frères Vili et Ve. Dans le récit de la Création, une résidence est attribuée à chaque catégorie d'êtres. Dieux, hommes, géants, elfes, nains, chaque groupe dispose de son propre domaine. Ces mondes sont reliés entre eux par le frêne Yggdrasil, l'Arbre cosmique placé au centre de l'Univers. Sagas et poèmes islandais suggèrent que les mythes nordiques, c'est-à-dire germaniques et scandinaves de l'époque des Vikings (VIIIe-XIe siècle), puisent leur origine en Islande, terre de feu et de glaces.

BERGELMIR
Odin, Vili et Ve tuent Ymir, dont les veines répandent un déluge de sang. Tous les géants de la glace périssent noyés, sauf Bergelmir et son épouse, qui s'enfuient dans une barque. Tous deux conçoivent une autre race de géants qui à leur tour combattront les dieux.

LE JOUR ET LA NUIT
Odin, Vili et Ve modèlent la Terre avec le corps d'Ymir, puis ils rassemblent des étincelles du feu de Muspell qu'ils lancent vers le ciel pour créer le Soleil, la Lune et les étoiles. Les trois dieux fixent le cours des astres et la durée du jour et de la nuit.

YMIR
En fondant au contact de l'air chaud de Muspell, les glaces de Niflheim engendrent le premier géant : Ymir le maléfique. Ymir, endormi, transpire à cause de la chaleur de Muspell. De la sueur de son aisselle gauche naissent un géant mâle et un géant femelle. Un autre géant mâle jaillit de ses pieds. C'est la première génération des géants de la glace, qui seront sans cesse en guerre contre les dieux.

De la glace fondue naît Ymir, le cruel géant

De la sueur de l'aisselle gauche d'Ymir surgit un couple de géants

Les quatre fleuves de lait qui coulent des pis d'Audumla nourrissent Ymir

Odin

Vili

Ve

AUDUMLA
Après avoir enfanté Ymir, le premier géant, les glaces de Niflheim continuent à fondre et elles créent la vache Audumla, qui doit nourrir les géants. Les êtres malfaisants, ennemis des dieux, s'abreuvent aux quatre fleuves de lait qui s'écoulent de ses pis. Elle-même se nourrit avidement du sel que contient l'eau gelée.

BURI ET BOR
En léchant la glace, Audumla fait apparaître la tête d'un homme. Elle continue à laper trois jours la matière qui le retient prisonnier, pour libérer Buri, le premier être à forme humaine. Il a un fils, Bor, qui épouse Bestla, fille d'un des géants de la glace. Bor et Bestla engendrent les dieux Odin, Vili et Ve.

ODIN, VILI ET VE
Les frères Odin, Vili et Ve, les trois dieux créateurs, combattent et tuent Ymir, le premier géant. Ils façonnent la terre avec sa chair, les roches avec ses dents et ses os. Son sang sert à alimenter les rivières et l'océan qui entoure la terre. Son crâne forme la voûte céleste et son cerveau les nuages.

ASK ET EMBLA

À partir de deux troncs d'arbres échoués sur une plage, Odin, Vili et Ve créent Ask, le premier homme, et Embla, sa compagne. Odin leur donne le souffle et la vie, Vili la pensée et le mouvement, Ve la parole, la vue et l'ouïe. Ask et Embla, qui engendrent la race humaine, vivent à Midgard, le pays des hommes.

Ask naît d'un tronc d'arbre

Embla

MUSPELL

Terre de feu, Muspell est l'un des deux mondes qui existent avant la création du cosmos. Surt, le géant du feu, souverain de Muspell, ignoré par les divinités, participera à l'ultime bataille contre les dieux, le Ragnarök.

ASGARD

Les dieux créent le royaume d'Asgard, demeure des Ases (les divinités du Ciel) et des Vanes (les divinités de la Terre, qui résident également à Vanaheim, sous la terre). Les dieux d'Asgard, qui doivent protéger leur domaine des mortels et surtout des géants, leurs farouches ennemis, font appel à un habile bâtisseur. Ils lui demandent d'ériger un rempart autour de leur demeure en l'espace d'un hiver. Pour prix de son labeur, l'artisan exige le Soleil, la Lune et la main de la déesse Freyja. Juste avant qu'il ne termine son ouvrage, les dieux s'aperçoivent que le constructeur est un géant de Jötunheim. Ils font appel à Thor, qui l'assassine avec son marteau.

Des pieds d'Ymir naît un géant mâle

BIFROST

Asgard, la demeure des dieux, entourée d'un haut rempart, est reliée à Midgard, le pays des hommes, par un pont arc-en-ciel appelé Bifrost. Seuls les dieux et les âmes des héros défunts, en route pour le Walhalla, peuvent franchir ce passage, formé de trois rayons de feu entrelacés. Les autres mortels n'ont pas le droit d'y accéder. Bifrost est jalousement gardé par le dieu Heimdall, armé de l'épée Höfud. Si des ennemis approchent, Heimdall avertit les dieux en soufflant dans la puissante trompe Gjall.

Les sourcils d'Ymir protègent Midgard

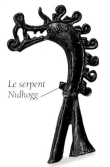

Bifrost

YGGDRASIL

Les différents univers de la mythologie nordique sont reliés par un frêne géant, Yggdrasil, l'Arbre cosmique. Au niveau de ses racines se trouvent la terre des glaces de Niflheim, le royaume des morts, Jötunheim, le pays des géants, ainsi que la demeure des Nornes, qui président à la destinée des hommes. Ces domaines sont surmontés par Midgard, le pays des hommes, lui-même dominé par Asgard, la demeure des dieux, et relié à lui par le pont Bifrost.

Le serpent Nidhogg

NIDHOGG

Nidhogg, serpent ou dragon, vit à Niflheim, au pied d'Yggdrasil. Il dévore les cadavres et il ronge les racines de l'Arbre cosmique pour le détruire. Mais il n'y parvient pas, car les Nornes, les trois vieilles femmes qui incarnent le passé, le présent et l'avenir, guérissent Yggdrasil.

Le corbeau se nourrit de cadavres sur les champs de bataille

YGGDRASIL

Yggdrasil veut probablement dire « Cheval d'Odin ». Ce dieu a appris les runes, écriture des anciennes langues germaniques, en se suspendant pendant neuf jours à Yggdrasil.

L'aigle

YGGDRASIL, L'ARBRE COSMIQUE

Ratatösk, le messager de Nidhogg

RATATÖSK

Ratatösk, l'écureuil qui niche dans les branches d'Yggdrasil, monte et descend sans cesse du frêne afin de transmettre les messages insultants qu'échangent le serpent Nidhogg et l'aigle perché au faîte de l'arbre.

HUGIN ET MUNIN

Les deux corbeaux Hugin (l'Esprit) et Munin (la Mémoire) sont les messagers et les compagnons d'Odin. Chaque jour, ils survolent Midgard pour rapporter des nouvelles des hommes à leur maître.

MIDGARD

Midgard, le pays des hommes, qui est délimité par les sourcils d'Ymir, est situé au centre du cosmos. Il est entouré par Jötunheim, le pays des géants, par Svartalfheim, le pays des elfes, et par Nidavellir, le pays des nains.

NIFLHEIM

Terre de glaces, plongée dans l'obscurité et nappée de brouillard, Niflheim est l'un des deux mondes qui existent avant la formation du cosmos. Après la Création, il devient le royaume des morts sur lequel règne, sans partage, la déesse Hel.

LES DIEUX D'ASGARD

Asgard, la demeure des dieux, est le plus élevé des trois royaumes qui composent le cosmos.
Dans ce domaine entouré de solides fortifications, les divinités mènent une vie proche de celle
des mortels, résidents de Midgard. Les dieux d'Asgard, créateurs du cosmos et à l'origine
des cycles du Soleil et de la Lune, ont aménagé leur royaume en y bâtissant des palais
et même un tribunal. Ils le mettent en valeur en cultivant la terre. Asgard est habité par
deux familles : les Ases, divinités du Ciel, et les Vanes, divinités de la Terre.
Ases et Vanes mettent un terme à la guerre qui les oppose
en crachant tous dans un chaudron. Ils engendrent ainsi
le géant Kvasir, qui incarne la sagesse. Deux nains
tuent ensuite Kvasir et préparent avec son sang
l'élixir magique de l'Inspiration,
ou hydromel des dieux.

Fenrir a tranché la main de Tyr

Odin

Sleipnir, l'étalon à huit pattes d'Odin

ODIN

Maître d'Asgard, Odin est le dieu de la Guerre,
des Tempêtes, de la Magie, de l'Inspiration
et du royaume des morts. Dieu le plus ancien
et le plus puissant du panthéon nordique,
il a créé le cosmos avec ses frères Vili et Ve.
Odin doit sa puissance au fait qu'il change
de forme à sa guise et qu'il détient la sagesse
et la connaissance. C'est en s'abreuvant
à la fontaine de Mimir, qui contient
la rosée de l'une des racines d'Yggdrasil,
le Frêne cosmique, qu'Odin a acquis
ces deux dernières qualités.

TYR

Tyr, dieu de la Guerre et dieu juriste, est
un autre fils d'Odin et de Frigg. D'une grande
vaillance, il mène les dieux d'Asgard au combat.
Il permet aux dieux d'enchaîner le loup Fenrir,
cruel enfant de Loki, en mettant sa main en gage
dans la gueule de la bête, car c'est le seul moyen
d'endormir sa méfiance. Une fois attaché, Fenrir
lui tranche le poignet.

Baldr

*Pour jouer, les dieux lancent
sur Baldr des projectiles
qui ne peuvent pas le blesser
puisque toute la Création
a juré de ne pas lui faire
de mal. Seule la flèche de gui
taillée par Loki et lancée par
Hödr est dangereuse.*

Loki

HOENIR

Taciturne, grand, fort
et intrépide, Hoenir est
le compagnon d'Odin.
Au cours de la lutte
qui les oppose
aux Ases, les Vanes
prennent en otage
Hoenir et le géant
Mimir.

FRIGG

Reine d'Asgard, épouse
d'Odin, déesse
de la Pluie
et de la Fécondité,
Frigg (aussi Frea
ou Frîja) prédit l'avenir
sans pouvoir
le changer. Quand
son fils Baldr rêve qu'il
court un danger
imminent, Frigg obtient
de tous les éléments
de la Création,
hommes, plantes,
objets, la promesse
qu'ils ne lui feront
pas de mal. Mais
elle omet le gui.
Et c'est une flèche
taillée dans cette plante
qui tue Baldr.

SLEIPNIR

Sleipnir, le cheval
magique à huit pattes,
est un cadeau de Loki,
dieu ou géant, à Odin.
Ce destrier, imbattable
à la course, accroît
encore la puissance
d'Odin qui le
chevauche pour
combattre. Il est alors
souvent accompagné
de corbeaux et de
loups. Odin galope
aussi à travers le ciel,
où il est entouré par
les esprits des morts.

GEFJON

Gylfi, roi de Suède,
fasciné par la magie
de Gefjon, déesse de la
Fécondité, lui promet
toute la terre qu'elle
pourra labourer en un
jour. Pour posséder
une vaste superficie,
Gefjon change ses fils
en bœufs géants. De la
terre, qu'ils sillonnent
puis qu'ils traînent vers
la mer, naît l'île
de Seeland.

HÖDR

Frère de Baldr, l'aveugle Hödr est l'instrument
dont se sert Loki, pour tuer le fils préféré
d'Odin. Loki, qui a découvert que le gui est
le seul élément de la création à pouvoir blesser
Baldr, en cueille une pousse. Il la fait lancer par
Hödr, qui transperce son frère bien malgré lui.

Hödr

BALDR

Fils d'Odin et de Frigg, Baldr est le plus beau
des dieux. Après sa mort, provoquée par Loki,
toutes les divinités d'Asgard sont en deuil.
Elles convainquent Hel, la reine du royaume
des morts, de le laisser partir si toute la Création
le pleure. Hommes, animaux, plantes, pierres,
tous versent des larmes sauf une géante, qui n'est
autre que Loki déguisé. Baldr doit donc rester
au royaume des morts.

FORSETI

Fils de Baldr et dieu de la Justice, Forseti rend
ses jugements dans son grand tribunal
de Glitnir. Les dieux lui demandent de régler
leurs désaccords. Parfois, il parle si longtemps
que les divinités s'empressent d'accepter
ses décisions pour ne pas avoir à l'écouter.

Le marteau Mjölnir est à l'origine du tonnerre

THOR, DIEU DU CIEL ET DU TONNERRE

Chapeau conique

La main qui tient la barbe est un symbole de croissance

FREYR, DIEU DE LA FERTILITÉ ET DE LA PROSPÉRITÉ

Collier d'or fabriqué par les nains

La main qui est posée sur la poitrine représente la fécondité

FREYJA, DÉESSE DE LA FÉCONDITÉ ET DE LA MAGIE

THOR

Grand, robuste et énergique, Thor est le dieu du Ciel et du Tonnerre et l'une des divinités les plus puissantes et les plus populaires d'Asgard. Son marteau, créé par les nains, résonne dans le ciel en émettant un son terrifiant. L'arme vient à bout des ennemis les plus redoutables. Thor, qui protège les dieux des géants, leurs adversaires, abat les géants Thrym, car il lui a volé son marteau, et Hrungir, car il menace de détruire Asgard.

SIF

Sif, l'épouse de Thor, possède une magnifique chevelure dorée, que lui coupe un jour le fourbe Loki. Terrifié par la colère de Thor, Loki sollicite l'aide des nains, qui tissent pour Sif une nouvelle chevelure d'or fin.

ULL

Ull, le fils de Sif, équipé de chaussures à neige, ancêtres des skis, et d'un arc, est un chasseur. Pendant dix ans, il règne à la place d'Odin, qui a été banni d'Asgard pour avoir séduit une jeune femme. Après le retour d'Odin à Asgard, Ull se réfugie en Suède.

NJÖRD ET SKADI

Dieu de la Mer, Njörd protège les marins et les bateaux. Il épouse Skadi, la déesse des Montagnes, et la suit dans son pays, mais il y est vite malheureux. Il retourne alors vivre au bord de la mer avec Skadi, qui se languit à son tour de ses montagnes. Il ne leur reste plus qu'à se séparer. D'après une version du mythe, les tempêtes sont la manifestation de la tristesse de Njörd, privé de sa femme. Le couple a pour enfants Freyr et Freyja.

FREYR

Fils de Njörd, le dieu de la Mer, et de Skadi, la déesse des Montagnes, Freyr est un dieu de la Fertilité, de la Fécondité et de la Prospérité. Il veille également sur les récoltes et la paix. Il possède une épée qui le rend invulnérable et un bateau pliant, Skidbladnir, qui tient dans une poche mais qui est assez grand pour transporter tous les dieux. Il est aussi le maître du sanglier Gullinsborti, qui tire son char et court plus vite qu'un cheval. Comme le Soleil, il traverse le ciel tous les jours.

Idun

Loki

Pommes d'or de l'éternelle jeunesse

FREYJA

Freyja, la sœur de Freyr, est une déesse de la Fécondité. Elle rend les récoltes abondantes et la pêche fructueuse. Elle aide aussi les femmes enceintes. Déesse de la Magie, elle est revêtue d'un manteau de plumes qui lui permet de voler. Elle est aussi parée d'un superbe collier d'or, Brisingamen, créé par les Brising, quatre nains qui sont frères. Freyja incarne aussi la licence sexuelle.

IDUN

La déesse Idun est la gardienne d'un panier de pommes d'or qui garantissent aux dieux une éternelle jeunesse. Le géant Thjazi, qui a enlevé Loki, n'accepte de le libérer que s'il l'aide à capturer Idun. Loki attire Idun dans la forêt où Thjazi, qui a pris la forme d'un aigle, s'en empare. Sans les pommes, les dieux commencent à vieillir. Lorsqu'ils apprennent le rôle joué par Loki dans la disparition d'Idun, ils l'obligent à la sauver et à rapporter les fruits. Loki revêt le manteau magique de Freyja pour voler jusqu'à la demeure de Thjazi et se saisit d'Idun.

BRAGI

Bragi est l'époux d'Idun, déesse de l'Éternelle jeunesse. Il est le dieu de l'Éloquence et de la Poésie. Il a reçu ses dons d'Odin, qui a gravé les runes, écriture des anciennes langues germaniques, sur sa langue. Par la suite, il devient le porte-parole et le messager d'Odin.

ENNEMIS ET ESPRITS

La mythologie nordique est peuplée d'êtres surnaturels qui sont souvent
les adversaires des dieux Ases. Ils complotent contre eux en attendant
l'ultime bataille du Ragnarök. Loki, qui est un trickster (truqueur) dont
les plaisanteries deviennent de plus en plus sinistres, déchaîne nombre de ces
forces destructrices. Les dieux finissent par l'enchaîner pour le punir d'avoir
provoqué la mort de Baldr, le fils préféré du dieu Odin, et d'avoir refusé
de le pleurer pour le ramener du royaume des morts. Loki se libérera
de ses entraves pour diriger les géants dans la bataille du Ragnarök, qui s'achèvera
par la destruction du monde et sa renaissance.

Gjall, le cor de chasse de Heimdall

HEIMDALL

Le dieu Heimdall est
le gardien de Bifrost,
le pont qui relie
Asgard et Midgard.
Doué d'une vision
et d'une ouïe
extraordinaires, il dort
très peu. Comme
il ne peut pas parler,
Odin lui a offert un cor
de chasse appelé Gjall
afin qu'il prévienne
les dieux en cas
de danger. Cette
trompe est si puissante
qu'on l'entend partout.
Heimdall l'utilisera
pour annoncer
le début
de la bataille
du Ragnarök.

SLEIPNIR

Loki, qui change de forme à sa guise, se transforme en jument
pour s'unir à l'étalon Svadilfari et engendrer Sleipnir, un cheval
à huit pattes qui galope à une vitesse miraculeuse. Puis il offre
l'animal à Odin. Le dieu le prête à son fils Hermod, qui va tenter
de ramener Baldr du royaume des morts. Sleipnir franchit d'un
bond les portes du domaine de la déesse Hel, qui ne consent
à libérer Baldr que si toute la Création le pleure.

Hermod le Courageux

Baldr

Sleipnir, le cheval à huit pattes d'Odin

LOKI

Dieu ou géant, Loki est
à la fois un créateur
et un trickster. Parfois
amical avec les dieux qu'il sauve
grâce à son esprit très vif, il est souvent
fourbe et malveillant, comme lorsqu'il
provoque la mort de Baldr. Il
prendra la tête des géants,
de sa progéniture, formée
de monstres, et des âmes
des morts lorsque éclatera
la bataille du Ragnarök.

Loki emporté par Thjazi sous forme d'aigle

LA NAISSANCE DE LOKI

Loki signifie « flamme ». Loki est né
de la rencontre d'une étincelle, que son père
Farbauti a fait jaillir à l'aide d'un silex, et de Laufey,
l'île boisée. Démon du Feu, Loki est imprévisible
et changeant. Il aime se métamorphoser en oiseau,
en poisson, en mouche, en géant, en femme
ou encore en nuage de fumée.

LE SERPENT DU MONDE

Fils de Loki et de la
géante Angrboda,
Jörmungand est
le serpent du Monde.
À sa naissance,
les dieux, dégoûtés par
son apparence,
le jettent hors
d'Asgard. Le serpent,
qui vit dans l'océan,
devient immense
et enroule ses anneaux
autour de Midgard,
le pays des hommes
qu'il soutient.

HEL, DÉESSE DES MORTS

HEL

Déesse du royaume
des Morts, Hel est la
fille d'Hoki, et donc
sœur du serpent
du Monde. La partie
supérieure de son
corps, qui a la couleur
de la chair, est vivante.
La partie inférieure,
morte et de couleur
foncée, est cachée dans
le Niflheim, domaine
des morts peuplé de
monstres où elle
exhale une odeur de
pourriture.

FENRIR

Fenrir, loup monstrueux, est
le fils de Loki. Les dieux
tentent de l'attacher, sans
succès. Odin demande
aux nains de fabriquer
un lien impossible à rompre.
Sous prétexte de voir si
l'animal peut casser la corde
alors qu'aucun d'entre eux
n'y est arrivé, les dieux
veulent la lui passer autour
du cou. Fenrir exige, en
gage de confiance, que l'un
d'eux place sa main dans sa
gueule. Tyr accepte. Le
monstre est ligoté, mais Tyr
perd sa main.

FENRIR

Skrymir, le géant de la glace, identifie les coups de marteau de Thor à une pluie de glands

Thor frappe le géant Skrymir avec son marteau

LES GÉANTS

Les géants sont les premières créatures apparues sur la Terre. Comme les nains, ce sont des esprits inférieurs qu'on appelle trolls. Ils sont partout dans la nature, dans les nuages d'orage, les montagnes, la neige ou la mer. Bien que parfois amicaux, les géants font peur à cause de leur taille, de leur tempérament batailleur et de leur pouvoir de destruction. Ils défient même les dieux.

SURT

Muspell, le royaume du feu, dont l'existence précède la création du cosmos, reçoit pour maître le géant Surt. Surt, qui entrera en éruption lors de la bataille du Ragnarök, crachera des flammes aux quatre coins du monde pour tout détruire.

LES ELFES

Comme les nains, qui font partie de la même classe d'esprits, et comme les géants, les elfes sont des esprits de la nature. Ils résident dans les lacs, les forêts et les montagnes. Ils peuvent être bienveillants ou malveillants.

LES NAINS

Nés de la chair décomposée d'Ymir, le géant de la glace, les nains sont tantôt bénéfiques, tantôt fourbes. La plupart vivent sous la terre, où ils exploitent les mines. Excellents orfèvres et forgerons, ils ont fabriqué le marteau de Thor, le bateau de Freyr et le collier d'or de Freyja.

LA CHEVAUCHÉE DES WALKYRIES

LES WALKYRIES

Esprits féminins qui ont la forme de femmes montées sur des chevaux, les Walkyries sont au service d'Odin. Le dieu les envoie sur les champs de bataille désigner les morts et conduire les âmes des héros au Walhalla, son palais des Morts, à Asgard. Là, les héros s'entraînent en prévision du Ragnarök et mènent joyeuse vie.

LES NORNES

Skuld, Urd et Werdandi, les trois Nornes, sont des esprits féminins qui contrôlent la destinée des hommes et des dieux. Elles sont probablement à l'origine des fées qui se penchent sur le berceau des nouveau-nés pour leur faire des dons ou leur jeter des maléfices.

LE RAGNARÖK

L'ultime combat, qui aura lieu, à la fin du monde, entre les dieux et leurs ennemis, s'appelle le Ragnarök. Loki s'échappera, il détruira Bifrost puis il mènera les géants à la bataille contre les dieux d'Asgard. Fenrir, le loup, tuera Odin. Thor et le serpent de Midgard s'anéantiront mutuellement. Le monde des dieux sera détruit et laissera la place à un monde meilleur.

VALI

Vali est un des fils d'Odin. Il a à peine une nuit lorsqu'il devient un héros en décidant de venger la mort de son frère Baldr, le fils préféré d'Odin. Vali tue le malheureux Hödr de ses mains et il place son corps sur un bûcher funéraire. Il fait partie de la génération de dieux qui survivra au Ragnarök, et à laquelle appartiennent aussi les autres fils d'Odin, Baldr, Hödr, Vidar, Vili et Ve.

VIDAR

Taciturne, Vidar, l'un des fils d'Odin, tuera le loup Fenrir lors de la bataille du Ragnarök. Il survivra et deviendra un des dieux du nouveau monde.

LES MYTHES FINNOIS

Au début du XIXᵉ siècle, l'érudit finlandais Elias Lönnrot recueille les chants populaires qui évoquent les dieux et héros mythiques de son pays. Il se fonde sur ces textes pour écrire une épopée qu'il intitule le *Kalevala*. Cet immense poème relate la création et les exploits de héros au rang desquels figurent l'enchanteur Väinämöinen et l'aventurier et trickster (truqueur) Lemminkäinen. Le *Kalevala* raconte aussi la quête du *Sampo*, talisman magique à la fois moulin à farine, à sel et à argent, qui apporte l'abondance et la prospérité à ceux qui le détiennent. Le *Kalevala* s'achève avec l'avènement de rois humains et l'instauration d'un État finlandais indépendant.

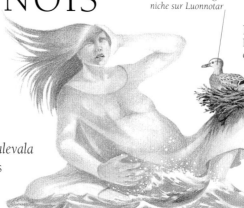

Un canard sauvage niche sur Luonnotar

LUONNOTAR

Luonnotar, la fille de l'Air, consacre plus d'un millier d'années à la Création. Un jour, un canard sauvage se pose sur ses genoux, fait son nid et pond sept œufs. Lorsqu'ils éclosent, la chaleur, devenue insupportable, contraint Luonnotar à se déplacer. Les œufs tombent alors dans l'eau et se changent en terre (îles et continent), en ciel, en Soleil, en Lune, en étoiles et en nuages.

Väinämöinen — Louhi

DIABLES ET DÉMONS

Les mythes finnois sont peuplés d'esprits malins qui combattent des héros. Trois d'entre eux se liguent pour que Väinämöinen se blesse avec sa propre hache : Hiisi fait trembler l'outil que le mage tient dans la main, Lempo tourne la lame vers la chair et Pahalainen la pousse contre le genou.

LOUHI

Souveraine du Pohja ou Pohjola, contrée du grand Nord, Louhi est une magicienne et une géante de la glace. Elle demande à Väinämöinen de créer le *Sampo* pour la prospérité de son pays couvert de glaces. Alors qu'elle tente de le reprendre à Väinämöinen, le talisman magique tombe à l'eau.

LES ESPRITS DE LA NATURE

Nombre de dieux finnois incarnent le monde de la nature, surtout les forêts denses et les mers froides de Finlande. Ainsi, on vénère Tapio, le dieu de la Forêt, et sa famille de divinités des bois, pour s'assurer de bonnes chasses et un gibier abondant.

LACS ET FORÊTS DE FINLANDE

PELLERVOINEN

Le dieu Pellervoinen est né de la terre. Pellervoinen, à qui Väinämöinen demande de planter des arbres et des fleurs, devient le dieu des Arbres, des Plantes et des Champs. Väinämöinen coupe la plupart des arbres pour faire pousser de l'orge, mais il laisse subsister un bouleau où les oiseaux peuvent nicher.

AHTO

Ahto et son épouse Vellamo, divinités des Eaux, vivent avec leurs filles dans le creux d'une falaise fouettée par les vagues. Si les marins ne lui rendent pas hommage, Ahto déchaîne contre eux la mer et les esprits aquatiques.

TAPIO

Tapio est le dieu des Forêts. Il est revêtu d'un manteau de mousse, d'une barbe et d'un chapeau d'arbres. De son nom dérive l'ancienne appellation de la Finlande, Tapiola.

VÄINÄMÖINEN

Héros divinisé du Chant et de la Poésie, Väinämöinen est le grand mage de la mythologie finnoise. Enfanté par Luonnotar, après sept cents ans de gestation, il est décrit comme un vieil homme jouant du kantélé, une cithare à cordes pincées. Il se rend à Tuonela en quête d'incantations magiques et il combat Louhi.

AINO

Quand le Lapon Joukahäinen défie Väinämöinen, tous deux s'affrontent à coup d'incantations et de formules magiques. Väinämöinen accule son adversaire à un marécage. Le Lapon lui promet la main de sa sœur Aino en échange de sa libération. Mais Aino n'aime pas le vieil enchanteur. Plutôt que de l'épouser, elle plonge dans la mer et se transforme en sirène.

Aino — Väinämöinen

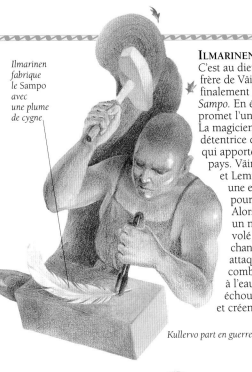

Ilmarinen fabrique le Sampo avec une plume de cygne

ILMARINEN ET LE SAMPO

C'est au dieu-forgeron Ilmarinen, frère de Väinämöinen, qu'échoit finalement la fabrication du *Sampo*. En échange, Louhi lui promet l'une de ses filles. La magicienne devient la détentrice du moulin magique qui apporte la prospérité à son pays. Väinämöinen, Ilmarinen et Lemminkäinen montent une expédition à Pohjola pour le lui reprendre. Alors qu'ils s'enfuient sur un navire avec l'objet volé, Louhi, qui s'est changée en aigle, les attaque. Au cours du combat, le *Sampo* tombe à l'eau. Des débris échouent sur la plage et créent les Finnois.

TUONELA

Dans les mythes finnois, Tuonela est le royaume des morts sur lequel règne le dieu Tuoni. Il est entouré d'une rivière sillonnée par un cygne noir, cible de Lemminkäinen. Sombre et silencieux, Tuonela grouille de démons et de maladies engendrées par Tuoni.

MARJATTA

A la fin du *Kalevala*, la jeune Marjatta donne naissance à un fils, qui devient le roi de Finlande. Väinämöinen lui cède la place. Il abandonne à jamais son kantele (cithare) et le pays.

LEMMINKÄINEN

Le héros Lemminkäinen épouse Kyllikki, une belle jeune fille. Lorsqu'il découvre qu'elle est volage, il s'en va chercher une autre femme à Pohjola. Louhi promet de lui céder une de ses filles s'il réussit trois épreuves : traquer l'élan du démon Hiisi, l'animal le plus rapide du cosmos, brider l'étalon de l'Enfer et chasser le cygne de Tuoni. Lemminkäinen ne surmonte que les deux premières. À Tuonela, il est tué par le berger de Pohjola. Sa mère le ressuscite.

Kullervo part en guerre

KULLERVO

Kullervo est vendu par son oncle comme esclave au forgeron Ilmarinen, dont l'épouse lui joue des tours. Il se venge en la faisant dévorer par un ours et un loup. Kullervo s'échappe et retrouve sans le savoir sa sœur, disparue. Il n'apprend son identité qu'après avoir abusé d'elle. Horrifiée par la nouvelle, sa sœur se tue. Il la suit peu après dans la mort.

LA FILLE DU NORD

La fille du Nord a pour mère Louhi, la souveraine de Pohjola, contrée située au nord de la Finlande. Quand des héros viennent demander sa main, Louhi leur impose volontairement des épreuves insurmontables.

LA SIBÉRIE

D'après une légende sibérienne, Ulgan, le dieu du Ciel, façonne Erlik, le premier être, avec de la terre humide. Tous deux participent à la formation du monde. Ulgan et Erlik, qui changent d'aspect à leur guise, sillonnent les airs sous la forme d'oies. Pour créer la terre, Ulgan demanda à Erlik de ramener du limon du fond de l'océan. Erlik en garde un fragment dans son bec car il espère fonder son propre monde. Mais il doit le lâcher quand Ulgan crée les continents.

Ulgan

Erlik, le premier être, émerge de l'eau boueuse

ULGAN ET ERLIK

Un jour, alors qu'il vole trop haut, Erlik tombe à l'eau. Tout près de se noyer, il appelle à l'aide. Ulgan le secourt et fait surgir un rocher à la surface de l'eau pour qu'il puisse s'asseoir.

LES MYTHES SLAVES

Les Slaves peuplent l'Europe centrale et l'Europe de l'Est, régions qui s'étendent de la Pologne, au nord, à la Serbie et à la Macédoine, au sud. Dans leurs mythes, Svarog, le dieu du Ciel, est la divinité suprême. Ses deux enfants, Dajbog et Svarogitch, sont respectivement le dieu du Soleil et le dieu du Feu. Parmi les dieux slaves les plus populaires se rangent les esprits des bois, des rivières et des champs. Comme les dieux du foyer, ils jouent des tours déplaisants aux paresseux et aux imprudents. On leur impute, par exemple, les repas brûlés ou les accidents survenus en chemin. La mythologie slave possède également ses héros, les bogatyris, dont les aventures, consignées par écrit seulement au IXe siècle, se teintent d'une coloration chrétienne.

BABA IAGA
D'un seul regard, Baba Iaga, déesse de la Mort, peut transformer les hommes en pierre. Quand elle tue quelqu'un, elle emporte son corps dans sa demeure. Là, elle le ressuscite pour mieux le dévorer et garde les ossements pour construire sa maison. Baba Iaga se déplace dans un mortier géant ; elle se sert du pilon pour se propulser jusqu'au ciel.

LE DÉMON KOSHCHEI
Le cruel Koshchei (vieil os), double masculin de Baba Iaga, échappe à la mort jusqu'à ce qu'un héros découvre son secret. Décrit parfois comme un serpent ou un dragon, il conserve sa vie dans un œuf placé dans un canard, enfermé dans un lièvre lui-même déposé dans un coffret, caché sous un chêne. Lorsque le prince Ivan atteint et brise l'œuf, Koshchei meurt.

DIEUX SLAVES INCARNANT
DES FORCES CONTRAIRES

LES COUPLES DE DIEUX
Dans la mythologie slave, on trouve fréquemment, et ce depuis les premiers temps, des couples divins qui incarnent le Bien et le Mal. Byelobog et Chernobog forment l'une des plus anciennes paires de dieux. Vêtu de blanc, Byelobog représente le Bien et la Création. Il est toujours en conflit avec Chernobog, habillé en noir, qui incarne le Mal et la Destruction. Cette tradition a peut-être été importée de Perse.

MATI-SYRA-ZEMLIA
La déesse slave de la Terre s'appelle Mati-Syra-Zemlia (Mère Terre humide). Les paysans l'invoquent en creusant un trou dans le sol auquel ils confient leurs prières. En écoutant les sons émanant de cette cavité, ils peuvent dire si la déesse apportera une bonne ou une mauvaise récolte.

PERUN
Dieu du Tonnerre, de la Foudre et de la Guerre, Perun incarne la fertilité et la pluie qui irrigue les terres. Il a pour effigie une statue de bois qui le montre avec une tête argentée et une moustache dorée. Le chêne est son arbre sacré. En tant que dieu guerrier, il parcourt le ciel dans un char tiré par une chèvre géante et il lance des éclairs, que l'on a identifiés à des dragons jusqu'à la christianisation de la Russie à la fin du Xe siècle.

LES BOGATYRIS

Les bogatyris, héros des épopées russes, sont des personnages très aventureux. Doués de pouvoirs magiques, ils protègent vaillamment leur patrie. Après la conversion des Slaves au christianisme, les bogatyris se sont transformés en héros chrétiens.

SVYATOGOR
Svyatogor, qui croit sa force infaillible, trouve un sac minuscule qui est si lourd qu'il peut à peine le soulever. Alors qu'il s'y essaie quand même, le fardeau l'enfonce dans la terre. Il lutte sans succès pour en sortir.

ILIA-MOUROMETZ
Ilia-Mourometz, enfant chétif, devient un jeune homme très fort en absorbant un breuvage magique offert par des ménestrels. Il triomphe d'un démon à tête d'oiseau qui provoque des ouragans. Plus tard, il devient un héros chrétien, défenseur de la foi.

LES ROUSSALKIS
Les roussalkis, âmes des enfants et des jeunes filles noyées, sont de séduisantes jeunes femmes qui demeurent dans les étendues d'eau. Avec leur chant mélodieux, elles ensorcellent les villageois et les conduisent à la mort.

VAMPIRE ATTAQUANT UNE VICTIME SANS DÉFENSE

LES ESPRITS DE LA NATURE

Jadis, les paysans de l'Europe centrale et orientale s'éloignaient rarement de leur village natal. Ils connaissaient mal les immenses forêts et les lacs, lieux particulièrement redoutables la nuit. La croyance en des esprits de la nature qui s'en prenaient aux voyageurs contribuait à entretenir cette peur.

LE DVOROVOI

LES DIVINITÉS RUSTIQUES

Des esprits habitent aussi les fermes et leurs environs. Le dvorovoï, esprit de la cour de la ferme, hait les animaux à pelage blanc, chats et chevaux principalement. Le bannik, esprit du lavoir, prédit l'avenir. L'ovinnik, esprit des étables, ressemble à un chat noir.

LES DÉESSES DU FOYER

KIKIMORA

La mythologie slave compte plusieurs déesses qui résident dans la maison. L'une d'elles est Kikimora, une petite femme qui aide la ménagère si elle est laborieuse. En revanche, si la maîtresse de maison est négligente, Kikimora lui joue des tours dans la cuisine et empêche ses enfants de dormir en les chatouillant. Pour se concilier la déesse, la ménagère doit préparer une potion à base de fougères et s'en servir pour récurer ses casseroles. Dugnai, autre déesse domestique, veille sur la cuisson du pain.

LE LECHII

Le lechii, esprit de la forêt particulièrement malveillant, dont la taille varie de celle d'un nain à celle d'un géant, arbore toujours une longue barbe verte. Il égare les paysans et les voyageurs qui s'aventurent dans son domaine. On peut l'éviter en mettant ses vêtements à l'envers.

LE VODIANOÏ

Esprit masculin des eaux, d'apparence visqueuse, le vodianoï vit au fond d'un lac, dans un palais fait de cristaux et de fragments de bateaux qui ont fait naufrage. La nuit, il remonte à la surface pour entraîner les imprudents au fond du lac et les réduire en esclavage.

LES VAMPIRES

Suicidés, défunts improprement inhumés, sorcières, mécréants, hérétiques se muent en vampires après la mort. Ils se nourrissent de sang humain et sortent de leur tombe la nuit à la recherche de victimes. Pour les supprimer, il faut leur planter un crucifix dans le cœur ou les exposer à la lumière du jour. Dracula est un personnage de fiction inspiré par Vlad l'Empaleur, cruel prince de Valachie.

LE POLEVIK

Le polevik est un esprit champêtre qui se cache dans les blés pour égarer les voyageurs, tuer les paysans ivres et enlever des enfants, qu'il perd dans les champs. Son corps a la couleur de la terre et ses cheveux celle de l'herbe verte. Le polevik femelle apparaît sous l'aspect d'une superbe femme vêtue de blanc. Pour éloigner le polevik, on doit déposer à la lisière du champ deux œufs et un vieux coq en guise d'offrande.

LES LOUPS-GAROUS

Les enfants qui naissent avec une coiffe ou une tache de vin sont susceptibles de devenir des loups-garous. Ce sont des êtres qui se transforment en loups, notamment lors des nuits de pleine lune. Vseslav, un prince biélorusse du XIe siècle qui se serait changé en bête sauvage sur un champ de bataille, est une des origines de ce mythe.

KURENT ET KRANYATZ

Un mythe serbe raconte que le géant Kranyatz a été sauvé du Déluge par Kurent, dieu trickster (truqueur) qui lui a tendu son bâton taillé dans la vigne. Lorsque Kranyatz le remercie, Kurent lui réplique que c'est à la vigne qu'il doit dire merci. Il s'ensuit une dispute pour savoir qui régnera sur le monde. Le géant remporte une épreuve de force et devient le maître. Mais Kurent jure de se venger en enivrant son ennemi. Il ne parvient à le saouler qu'en ajoutant un peu de son propre sang au vin. Kranyatz se présente ivre à la table de Dieu. Mécontent, le Seigneur, lui ôte sa puissance. Kurent réussit finalement à gouverner le monde.

Kurent remplit la corne à boire de Kranyatz

YARILO

Dieu de la Sexualité et de la Fécondité, Yarilo est associé à la régénération. Au printemps, les paysans le fêtent en lui donnant pour reine la plus belle jeune fille du village. Ils espèrent ainsi obtenir de bonnes récoltes.

LES MYTHES CELTIQUES

L'expansion des Celtes sur le continent européen commence à partir de 1200 avant J.-C. Issus des régions danubiennes, en Europe de l'Est, ils se répandent notamment en Gaule entre le XIIIᵉ et le IXᵉ siècle et dans les îles Britanniques entre le VIIIᵉ et le Vᵉ siècle avant J.-C. Ils élaborent trois civilisations successives, dont la dernière, celle de La Tène, correspond au second âge du fer (450-50 avant J.-C.). Ils vivent alors regroupés dans des villages dirigés par des chefs guerriers. Les Gaulois n'ont pas laissé de témoignages écrits sur leur religion qui est connue grâce aux auteurs romains. Dans les îles Britanniques, où la langue celtique s'est perpétuée à travers le gallois, l'irlandais et l'écossais, les mythes celtes ont subsisté. Ils ont été consignés par écrit au Moyen Âge.

SUCELLUS ET NANTUOSUELTA

SUCELLUS

Sucellus, le « Bon Frappeur », a pour attributs un maillet et une coupe à boire. En frappant la terre de son marteau, il éveille les plantes et il annonce le printemps. Peut-être faut-il l'identifier à Dis Pater, que Jules César décrit comme le dieu suprême des Gaulois. Son épouse, Nantuosuelta, est la déesse des rivières, également associée à la fécondité.

LES DÉESSES-MÈRES

Roue d'argent

TARANIS

Taranis, dieu de l'Orage, du Tonnerre et de la Foudre, est adoré dans presque tout le monde celte. Les Romains l'ont assimilé à Jupiter. Il parcourt le ciel dans son char. La foudre résulte des étincelles que produisent les sabots de ses chevaux, et le tonnerre du bruit que font les roues de son char.

TARANIS, DIEU DE L'ORAGE

EPONA À CHEVAL

EPONA

Déesse des Chevaux et des Cavaliers, Epona est très populaire. On la représente souvent avec un cheval, dont la force symbolise l'énergie de la terre. La figure géante tracée sur la colline crayeuse de White Horse Hill, en Angleterre, est peut-être une évocation de la déesse.

DÉESSES-MÈRES

Les Celtes représentent les déesses-mères sous la forme de trois femmes chargées de fruits ou de fleurs, symboles de fertilité et d'abondance. Les Gaulois, par exemple, associent souvent les divinités par trois, chiffre sacré, pour augmenter leur pouvoir.

BELANOS

Les Celtes vénèrent plusieurs divinités du Feu et de la Lumière dont le nom commence par Bel (« éclat »). Parmi eux figurent Belanos, dieu du Soleil, identifié à Apollon, et Belatucadrus, dieu de la Guerre, assimilé à Mars. Pour les Celtes, ils représentent peut-être différents aspects du même dieu.

CERNUNNOS

Cernunnos, le « dieu cornu » coiffé d'une ramure de cerf, est l'un des plus anciens dieux celtes. Roi des animaux, il est associé à la fertilité, à la renaissance et à l'au-delà. Il est souvent entouré de serpents ou de cerfs qu'il nourrit et qui symbolisent l'abondance. Cernunnos peut se changer en serpent, en loup ou en cerf.

Antlers

Torque

Torque, collier celte

Le cerf, symbole de fertilité

Cernunnos

Serpent à tête de bélier, symbole de régénération

Braies

LE PAYS DE GALLES

Le *Mabinogion*, le seul recueil de légendes galloises où les mythes abondent, se compose essentiellement des *Quatre Branches des Mabinogi*. Ce récit relate l'histoire de Pwyll et de sa famille, de Branwen, de Manawydan et de Math.

La princesse Rhiannon sur son blanc cheval sauvage

RHIANNON

La princesse Rhiannon épouse le roi Pwyll, auquel elle apparaît sur un cheval blanc sauvage. Elle engendre un fils, Pryderi. À la suite de la disparition mystérieuse de Pryderi, Rhiannon est soupçonnée de meurtre et condamnée à porter les visiteurs sur son dos dans le palais.

BRANWEN

Branwen, fille de Llyr, le dieu de la Mer, est mariée au roi d'Irlande. Maltraitée, elle envoie au pays de Galles un message pour convaincre les Bretons de ce royaume d'attaquer les Irlandais.

BRÂN LE BÉNI

Le géant Brân le Béni (Bendigeidfran), fils de Llyr, mène les Bretons à la victoire dans la guerre contre l'Irlande. Blessé, il se fait décapiter, mais sa tête continue à vivre et à égayer ses compagnons.

Lleu Llaw se change en aigle

Blodeuwedd

BLODEUWEDD

Arianrhod interdit à son fils, le héros guerrier Lleu Llaw, d'épouser une humaine. Math, seigneur de Gwynned, et le magicien Gwydion créent la belle mais infidèle Blodeuwedd avec des fleurs. Blodeuwedd et son amant Gronw Pebir tentent de tuer Lleu, qui s'échappe en se changeant en aigle.

L'IRLANDE

D'après la légende, le pays a été envahi cinq fois avant l'arrivée des Celtes. La dernière invasion est menée par les Tuatha Dé Danann, qui animent une partie des légendes les plus populaires d'Irlande. Une autre série d'histoires a pour principal protagoniste Cú Chulainn, le héros de l'Ulster, qui a combattu l'armée du Connacht ou des Hommes d'Irlande.

Dagda

LE BATEAU MAGIQUE DE LUG

MANANNAN MAC LLYR

Dieu de la Mer et membre des Tuatha Dé Danann, Manannan est le patron de l'Irlande. Il offre à Lug un bateau, une épée et un cheval magiques pour l'aider à vaincre les précédents envahisseurs de l'Irlande.

MORRIGAN

Morrigan, déesse de la Guerre, se change en femme ou en animal. Quand elle rôde sous forme de corbeau, la mort est proche ; quand elle lave l'armure d'un guerrier, elle condamne à mort son propriétaire. Elle essaie en vain de séduire Cú Chulainn.

CÚ CHULAINN

Cú Chulainn, héros guerrier, fils du dieu Lug, a pour père adoptif le roi Conchobar. Armé de sa lance, il prend la tête des Hommes de l'Ulster qui affrontent les Hommes d'Irlande ou du Connacht. Cú Chulainn, qui s'attache à une pierre dressée afin de faire face à l'ennemi au moment de sa mort, est tué par une lance projetée par l'un des fils du guerrier Cailidin. Ce dernier venge ainsi la mort de son père.

CÚ CHULAINN, LE HÉROS DE L'ULSTER

LUG

Dieu du Soleil, Lug, le « brillant », est un guerrier, un artisan et un magicien. Il fabrique de nombreuses armes magiques, dont une épée invincible. Il repousse les Fomoires, peuple d'Irlande qui attaque les Tuatha Dé Danann, et il tue leur chef Balor, son grand-père.

DAGDA

Dagda, Dieu suprême et divinité de la Sagesse, de la Magie et de la Fertilité, appartient à la famille des Tuatha Dé Danann. Son vaste chaudron alimente les dieux. Il possède une massue magique, dont une extrémité tue tandis que l'autre ressuscite les morts.

FINN

Chasseur, prophète et chef des Fénians, guerriers et chasseurs, Finn accède à la connaissance illimitée en suçant son pouce, brûlé alors qu'il cuisinait le saumon de la Connaissance. Il chasse des sangliers magiques et il sauve Tara, demeure des rois d'Irlande, d'un démon.

OISIN

Oisin, fils de Finn, vit au pays de la Jeunesse. Il peut se rendre en Irlande s'il n'en foule pas le sol. Mais, un jour, il tombe de cheval et vieillit aussitôt de trois cents ans.

VOIR AUSSI

APOLLON 56
MARS 76

MYTHES DE LA CRÉATION 8
HÉROS ET TRICKSTERS 12
ANIMAUX ET PLANTES 16
Y A-T-IL UNE FIN ? 18

LE ROI ARTHUR

La légende du roi Arthur, chef des Bretons d'Angleterre, s'inspire probablement d'un souverain réel qui a vécu vers la fin du Ve et le début du VIe siècle, et qui s'est peut-être illustré dans la défense de son pays contre les envahisseurs anglo-saxons. Au XIIe siècle, le chroniqueur anglais Geoffroi de Monmouth et le poète français Chrétien de Troyes relatent l'histoire des chevaliers de la Table ronde qui se réunissent à Camelot, la cour du roi Arthur. Ces récits, qui font d'Arthur un héros mythique, célèbrent ses vertus chevaleresques et racontent les événements qui conduisent à sa mort. Ils évoquent aussi le retour du roi, qui présidera à un nouvel âge d'or.

EXCALIBUR

Après la perte de sa première épée, Merlin conduit Arthur auprès de la Dame du Lac. Sa main jaillit de l'eau et brandit Excalibur, une épée magique. Grâce à elle, le roi Arthur devient invincible. À la fin de sa vie, il confie l'épée à un homme de confiance pour qu'il la jette dans l'eau. La main de la Dame s'en empare pendant qu'une barque emmène Arthur à Avalon.

Excalibur apparaît dans la main de la Dame du Lac

Arthur

LE ROI ARTHUR

Arthur

Sir Hector

ARTHUR VIENT D'ÔTER L'ÉPÉE DU ROC

Kay

AVALON

L'île d'Avalon, ou île des Pommiers, est un paradis situé en Occident où poussent les pommes de l'immortalité. À la fin de sa vie terrestre, le roi Arthur y est emmené pour soigner ses blessures. Il sombre dans un sommeil éternel dont il sortira pour sauver son pays.

ARTHUR

Fils d'Ygerne, veuve du duc de Tintagel, et du prince gallois Uterpendragon, son second époux, Arthur devient le roi de la Bretagne (îles Britanniques). Souverain idéal, à la fois sage et brave, il fait régner la paix et unifie son pays. Il gouverne avec l'aide des chevaliers de la Table ronde. Les amours adultères de son épouse Guenièvre avec Lancelot et la trahison de son fils ou neveu Mordret sèment la discorde. Arthur affronte Mordret, qui le blesse mortellement. Un jour il reviendra régner sur la Bretagne.

UNE ÉPÉE DANS LE ROC

Encore enfant, Arthur prouve qu'il est digne de devenir le roi des Bretons. Il est le seul à pouvoir retirer une épée de la roche où son père, Uterpendragon, l'a fait sceller. Il se sert de l'arme jusqu'à ce qu'elle se brise lors d'un combat avec un géant.

LANCELOT

Lancelot, le plus courageux des chevaliers, trahit Arthur en séduisant son épouse Guenièvre. Il est alors jugé indigne de poursuivre la quête du Saint-Graal. Plus tard, Lancelot léguera ses biens à l'église et deviendra moine.

GUENIÈVRE

La reine Guenièvre, épouse du roi Arthur, éblouit tous les chevaliers de la Table ronde par sa beauté. Mais Lancelot seul ose aller jusqu'à rompre son serment de chevalier pour commettre l'adultère. Sa trahison provoque la dispersion des chevaliers de la Table ronde. Lancelot tue deux chevaliers pour sauver Guenièvre qui a été condamnée au bûcher. Pour venger leur mort, Arthur et Gauvain déclarent la guerre à Lancelot. Les chevaliers de la Table ronde sont contraints de prendre parti dans l'âpre lutte qui s'ensuit. Mordret profite des circonstances pour se proclamer roi.

LA FÉE MORGAIN OU MORGANE

Fille d'Ygerne et demi-sœur d'Arthur, la mystérieuse fée Morgain est généralement décrite comme une créature maléfique, qui complote contre Arthur pour mettre fin à la race humaine. Sa sœur Morcadès est la mère de Mordret.

LA DAME DU LAC

Autour d'Avalon s'étend un lac magique qui recouvre le château où demeure la Dame du lac. Protectrice de l'humanité, elle veille sur Arthur. Elle lui offre Excalibur, soigne ses blessures et l'emmène mourir à Avalon.

LA TABLE RONDE

Dans les cours du Moyen Âge, on prend place autour d'une table rectangulaire. Mais cette disposition provoque des rivalités entre les chevaliers qui veulent s'asseoir le plus près possible du roi, siégeant au centre. Pour éviter ces disputes, le roi Arthur et ses chevaliers se réunissent autour d'une table ronde.

LE ROI ARTHUR ET LES CHEVALIERS DE LA TABLE RONDE

MORDRET AFFRONTE ARTHUR À LA BATAILLE DE CAMBLAM

MORDRET

Fils (ou neveu dans certaines versions) du roi Arthur, Mordret grandit loin de Camelot, où il revient comme chevalier. Pendant qu'Arthur se bat, il essaie de convaincre les chevaliers de la mort d'Arthur, s'empare du trône et déclare vouloir épouser Guenièvre. Celle-ci prévient Arthur, qui revient affronter Mordret. Les deux hommes meurent au cours de cette bataille.

GALAAD

Galaad, fils de Lancelot et d'Elaine, est le plus pur de tous les chevaliers. De ce modèle de vertu et d'obéissance, les écrivains chrétiens ont fait un symbole du Christ. Sa naissance résulte d'une ruse de Pellès, le souverain du royaume de Carbonek. Il trompe Lancelot en faisant passer sa fille Elaine pour Guenièvre. Produit de cette union, Galaad se vouera à la quête du Saint-Graal. Après moult aventures et luttes contre le mal, Galaad, qui bénéficie de l'aide des chevaliers Perceval et Bors, trouve le Graal et le rapporte à Jérusalem. Là, il meurt en extase et gagne le paradis.

Galaad

Perceval

À LA COUR DU ROI PELLES

GAUVAIN

Pour éprouver les chevaliers d'Arthur, la fée Morgain change le seigneur Bertilak en Chevalier Vert. Ce dernier met l'honneur et le courage de Gauvain à l'épreuve. Au cours du combat, Gauvain décapite Bertilak. Puis, il le retrouve un an plus tard dans une chapelle où il reprend sa véritable apparence. Gauvain qui a repoussé la femme de Bertilak, qui voulait le séduire, est félicité pour sa grande bravoure et sa rectitude morale.

NINIANE OU VIVIANE

L'enchanteresse Niniane, également appelée Viviane, serait la fille d'une sirène de Sicile. Elle est la mère adoptive de Merlin l'enchanteur et sa maîtresse. Après l'avoir séduit, elle se transforme en ambre pour garder Merlin avec elle dans la forêt enchantée de Brocéliande. D'après une version du mythe, Niniane accompagne Guenièvre lorsqu'elle conduit Arthur à Avalon. C'est pourquoi on la confond parfois avec la Dame du Lac.

NINIANE

MERLIN L'ENCHANTEUR

Fils d'une religieuse et d'un démon, le magicien Merlin a été élevé par Niniane, qui lui enseigne l'art de la magie. Après avoir réuni les parents d'Arthur, il veille sur l'éducation de l'enfant. C'est lui qui crée la Table ronde. Niniane, qui aime Merlin, utilise ses pouvoirs magiques pour le séduire. Merlin résiste jusqu'à ce qu'elle se métamorphose en superbe femme.

MERLIN ENVOÛTÉ

Merlin *Niniane*

LE SAINT-GRAAL

Le Saint-Graal est la relique chrétienne la plus précieuse. D'après la tradition, c'est la coupe utilisée par Jésus lors de la Cène. Une légende en fait aussi le Graal, la coupe qui a recueilli le sang qui s'écoulait des blessures du Christ crucifié. Les deux versions s'accordent pour dire que le Graal a été remis à Joseph d'Arimathie (qui a procédé à l'enterrement du Christ), puis perdu. Les chevaliers du roi Arthur sont les plus célèbres des aventuriers partis à sa recherche. Le Graal est censé disparaître si quelqu'un d'impur s'en approche. Aussi, seul Galaad, le plus parfait des chevaliers, est-il digne de la quête du Graal.

AMÉRIQUES

Les premiers Américains sont arrivés d'Asie il y a au moins 12 000 ans. Deux mille ans plus tard, ils ont atteint la pointe de l'Amérique du Sud. Ces groupes de population ont adapté leurs mythes et leurs légendes aux milieux très divers du continent américain.

MILIEU ET CULTURE

Les centaines de tribus indiennes d'Amérique du Nord ont été regroupées par grandes aires culturelles, définies par un ensemble de coutumes et de croyances qui varie en fonction de la géographie et du climat. Nous présenterons une version simplifiée de cette répartition. Ainsi, dans l'Arctique, les Esquimaux vivent de la chasse et de la pêche. Les Indiens des Plaines fondent très largement leur existence sur le bison. Quant aux Indiens du Sud-Ouest, ils se distinguent par leurs créations artisanales.

AMÉRIQUE CENTRALE ET AMÉRIQUE DU SUD

Les Mayas, les Aztèques et les Incas, qui possèdent des religions complexes, vénèrent leurs dieux dans de grands temples de pierre où ils sacrifient des victimes humaines. Dans ces régions parfois rudes, où la nourriture dépend des conditions climatiques, les dieux du Soleil, de la Pluie et de la Fertilité jouent un rôle essentiel.

DES CRÉATEURS AUX TRICKSTERS

COYOTE

Les nombreux personnages mythiques imaginés par les Indiens d'Amérique vont de Coyote, un trickster (truqueur) dont les facéties sont à l'origine de la souffrance et de la mort dans le monde, au créateur des Pawnees, « Celui d'en haut », qui veille sur le cosmos.

LES INUITS

Les Inuits, les « hommes », sont les Esquimaux de l'Arctique canadien. Mais ce terme sert aussi à désigner les peuples qui vivent au Groenland, en Alaska et dans le nord-est de la Sibérie. Dans ces régions polaires, il est impossible de cultiver la terre. La survie dépend donc uniquement de la pêche et de la chasse. Les Inuits tirent des animaux leur subsistance, leurs vêtements et leurs outils. La mythologie des Inuits, profondément influencée par ce milieu inhospitalier, accorde au monde animal un rôle prépondérant. Dans les mythes, ils secourent l'humanité. Ils apparaissent également comme un gibier qu'il faut impérativement respecter. La mer est omniprésente dans les légendes. Beaucoup de tribus inuits ont en commun un esprit de la Mer, Sedna, mère et gardienne de la faune marine.

L'AURORE BORÉALE
Pour les Koyukons, établis dans l'ouest de l'Alaska, l'aurore boréale est due à l'Homme des Lumières du Nord, qui lance ses flèches dans le ciel d'hiver. Ce phénomène réjouit les chasseurs, car il annonce le début de la chasse des caribous. Les nuées lumineuses sont aussi les esprits des défunts.

AURORE BORÉALE

PINGA
Déesse de la Chasse, Pinga, « Celle-là en haut », réglemente la chasse des caribous. Elle veille sur ces animaux, qu'elle rassemble en troupeaux et qu'elle dirige vers les chasseurs. Les âmes des défunts renaissent dans la demeure de Pinga.

STATUETTE
DE CHAMAN

LES CHAMANS
Les chamans sont les prêtres des religions de l'Amérique du Nord. Médiateurs entre les hommes et les esprits, ils sont les seuls à pouvoir agir sur ces derniers. Au cours de cérémonies rituelles, ils communiquent avec les esprits afin qu'ils guérissent les malades et qu'ils favorisent la chasse et la pêche.

Animaux marins nés
des doigts de Sedna

IKULA NAPPA
Équivalent des sirènes européennes, Ikula Nappa est une créature mystérieuse, mi-femme mi-poisson, qui réside au fond de l'océan. Il ne faut pas la confondre avec la Femme de la Mer.

SEDNA
Esprit de la Mer, Sedna vit dans l'océan et veille sur ses créatures. À l'origine, Sedna est une jeune fille que son père contraint à épouser un chien. Après avoir été séparée de l'animal, elle s'enfuit avec un oiseau qui a pris la forme d'un homme. Son père l'enlève et l'emmène sur son embarcation : cela n'est pas du goût de l'oiseau, qui déclenche une tempête. Projetée hors du kayak, Sedna s'y agrippe avec ses mains. Son père, pour ne pas chavirer, lui tranche les doigts, qui donnent naissance aux animaux marins. Sedna sombre au fond de l'eau et devient l'esprit de la Mer.

LA FEMME DE LA MER
La Femme de la Mer est une autre désignation de Sedna. Elle veille sur ses amis marins et provoque des tempêtes quand les hommes l'offensent. Pour l'apaiser, un chaman plonge dans la mer et nettoie ses cheveux.

SEDNA SOMBRE
AU FOND
DE LA MER

LOUP DE SIBÉRIE

Plume

MASQUE QUE LES INUITS
DE L'OUEST DE L'ALASKA
ENFILENT SUR LEURS DOIGTS

Fourrure

L'INUA
Pour les Inuits, presque tout dans la nature possède un esprit ou inua. Les animaux, les roches, les arbres et les rivières aussi bien que les glaciers ou les tourbillons ont un inua. L'inua est figuré avec une tête humaine qui repose sur l'œil, le dos ou la poitrine d'un animal. Les esprits sont responsables de tout, de l'issue de la chasse à la maladie.

AKHLUT
Sur les rives de la mer de Béring, les Esquimaux redoutent Akhlut, une baleine tueuse qui se change en loup pour sillonner les terres et dévorer les hommes et les animaux. Une fois repue, elle regagne la mer et reprend sa forme de baleine. Les empreintes de loup qui se dirigent vers la mer sont les traces laissées par Akhlut lors de ses expéditions.

TULUNGUSAK,
LE PÈRE-CORBEAU

LES QUATRE QUI VOYAGENT AUTOUR DU MONDE

Deux hommes décident de découvrir quelle est l'étendue du monde. Chacun part avec son épouse dans une direction opposée. Avec leur traîneau tiré par des chiens, ils sillonnent les étendues glacées pendant des années. Au cours du voyage, leurs familles, qui s'agrandissent, finissent par former deux tribus. Les deux couples deviennent si âgés et si faibles qu'ils sont contraints de s'asseoir sur leur traîneau au lieu de marcher à côté. Aidés par leurs enfants et leurs petits-enfants, ils poursuivent leur exploration. Un jour, les deux tribus se rencontrent.

Les deux hommes, qui ont fait le tour de la Terre, sont revenus à leur point de départ. Leur curiosité satisfaite, ils sont prêts à affronter la mort.

TULUNGUSAK

Dans le mythe de la création des Inuits de l'Alaska, le démiurge est Tulungusak, le Père-Corbeau. Avec de l'argile, il modèle la terre, la végétation, les animaux et les hommes. Puis il fabrique les femmes pour donner des compagnes aux hommes. Pour sortir le monde de l'obscurité dans laquelle il est plongé, il invente la lumière, le jour et la nuit. Enfin, il apprend aux hommes à chasser, à pêcher et à allumer du feu.

TINMIUKPUK

Pour les peuples du delta du Yukon, Tinmiukpuk, l'Oiseau-Tonnerre, est un aigle énorme qui provoque des orages en battant des ailes. Avec ses serres puissantes, il s'empare de rennes et de baleines. Il tue aussi des hommes.

LE CADEAU DE L'AIGLE

Les êtres humains consacrent tout leur temps au travail, jusqu'à ce qu'un aigle se lie d'amitié avec un homme du nom d'Ermine, à qui il enseigne le chant et la danse. La première fête, animée par le chant, est très joyeuse.

LEUR VOYAGE TERMINÉ, LES DEUX HOMMES SE RETROUVENT

MASQUE
REPRÉSENTANT
UN OURS
POLAIRE

MASQUE
D'IGALUK,
L'HOMME-LUNE

Les cercles représentent les niveaux du cosmos

La plume symbolise une étoile

La bordure blanche autour du visage évoque l'air

IGALUK

Igaluk, l'Homme-Lune, et sa sœur s'unissent par erreur. Honteux de ce qui s'est passé, ils décident de quitter la terre pour toujours. Igaluk devient la Lune, et sa sœur le Soleil. Une fois dans le ciel, Igaluk protège les hommes ; il contrôle le rythme des saisons et le mouvement des marées.

FAUCON-ERRANT

Faucon-Errant est un héros originaire des forêts de l'intérieur des terres. Établi sur la côte, il chasse sur la terre et sur la mer. Il parcourt le monde et il utilise ses pouvoirs magiques pour éradiquer le mal chaque fois qu'il le rencontre.

L'OURS POLAIRE

L'épouse d'un chasseur a une aventure amoureuse avec un ours polaire. Le mari, qui sent l'odeur de l'ours, fait avouer à sa compagne où demeure son amant. L'ours réussit à échapper à son poursuivant. Furieux d'avoir été trahi par son amante, il veut se venger en détruisant son igloo. Mais, lorsqu'il se retrouve face à la femme, il lui pardonne, puis il s'engage dans la quête, longue et solitaire, de l'amour véritable.

Les Indiens du Nord-Est

Le nord-est de l'Amérique, qui s'étend des terres boisées et froides au nord jusqu'à la Floride au sud, a accueilli de nombreuses tribus indiennes, dont celles des Iroquois, des Hurons ou encore des Algonquins. La mythologie de ces peuples révèle leur respect pour les esprits de la nature et leur croyance en un monde supérieur et un monde inférieur séparés par la terre, monde intermédiaire. Ces Indiens pensent aussi que les êtres peuvent changer de forme, passer de l'homme à l'animal et inversement.

UNE JEUNE FILLE SE JETTE EN CANOÉ DANS LES CHUTES

GLOOSCAP RENTRE CHEZ LUI APRÈS AVOIR VAINCU LES MAUVAIS ESPRITS

GLOOSCAP

Héros civilisateur et trickster, Glooscap est le Créateur pour les Algonquins. Avec le corps de la Mère-Terre, il a formé le soleil, la lune, les plantes, les animaux et les hommes. Son frère, le vil Malsum, fait apparaître les montagnes menaçantes, les reptiles et les insectes. Grand guerrier, Glooscap tue Malsum, qui descend dans le monde souterrain. Puis il chasse les mauvais esprits de la terre et les envoie rejoindre son frère. En tant que trickster, Glooscap se transforme à sa guise. Il utilise ce pouvoir pour vaincre ses ennemis.

CELUI QUI SUPPORTE LE CIEL

« Celui qui supporte le ciel », le Créateur des Iroquois, envoie deux esprits sur terre pour aider les hommes. Il dépêche Ohswedogo à l'ouest et Twehdaigo à l'est. Un autre esprit se rebelle et défie « Celui qui supporte le ciel ». Au cours de la lutte qui s'ensuit, l'esprit, blessé, gagne son nom de Vieux-Nez-Cassé. Condamné à parcourir la terre pour guérir les hommes de la maladie, il devient le Grand Médecin.

HINO

Hino, l'esprit du Tonnerre des Indiens Senecas, réside dans une grotte sous les chutes du Niagara. Il veille sur les hommes qui sont attaqués par des reptiles. Il sauve la vie d'une jeune fille qui se précipite dans les chutes parce qu'un serpent a pris possession de son corps et tué son mari. Hino la délivre du serpent. La jeune fille vit avec son sauveur puis décide de rejoindre son peuple.

Fourneau

Bec de corbeau

PIPE HOPEWELL EN FORME DE CORBEAU, SCULPTÉE DANS DE LA PIERRE

LE TRICKSTER LOX TRANSFORMÉ EN CARCAJOU

CORBEAU

Corbeau est un trickster, un être rusé qui apporte le feu à l'humanité. Avec ses trois amis Rouge-Gorge, Taupe et Puce, il se rend dans un village d'où s'échappent des volutes de fumée. Les compères tentent, sans succès, d'y dérober le feu. Rouge-Gorge se brûle les plumes et Taupe se terre sous la maison du chef du village. Corbeau enlève alors le bébé de cet homme. En guise de rançon, il exige du feu. Le chef remet à Corbeau deux pierres à frotter l'une contre l'autre pour obtenir une étincelle.

LES JUMEAUX

La fille de la Femme du Ciel engendre deux fils, Bon-Esprit et Mauvais-Esprit. Bon-Esprit crée les hommes avec de l'argile et transforme la Terre en un lieu où il fait bon vivre. Mais Mauvais-Esprit cache le soleil et détruit les œuvres de son frère.

VENT-FORT

Le héros des Indiens Micmac, Vent-Fort, vole dans les airs à bord d'un traîneau tiré par un arc-en-ciel. La Voie lactée forme la corde de son arc. Vent-Fort épouse une jeune fille au visage brûlé mais au cœur tendre. Elle a trois méchantes sœurs, que Vent-Fort transforme en trembles. Les feuilles de ces arbres s'agitent toujours quand il approche.

HOCHET EN CARAPACE DE TORTUE

TORTUE

Selon un mythe du Nord-Est, Tortue demande à tous les animaux sous-marins de rapporter un peu de terre du fond de l'océan. De nombreuses bêtes essaient, mais seul Rat musqué y parvient. La terre que pose l'animal sur la carapace de la tortue s'étend et finit par former une île, la première terre.

LOX

Les Indiens Passamaquoddys redoutent autant la force que la fourberie du trickster Lox, qui se transforme en carcajou. Il poursuit les chasseurs, envahit leurs campements et détruit tout ce qu'il peut. Il vole et cache ce qu'il n'arrive pas à casser.

LES TREMBLES S'AGITENT À L'APPROCHE DE VENT-FORT

ESPRITS DU BIEN ET DU MAL

Pour les Indiens Lenni Lenape, le Créateur s'appelle Welsit Manatu (Bon-Esprit). Il a créé la Terre avec de l'argile humide, puis il a façonné les hommes et fait pousser des plantes comestibles et médicinales. Il vient en aide aux hommes en tuant ou en transformant les êtres nuisibles. C'est ainsi que l'énorme écureuil, dévoreur d'hommes, devient un gentil petit mammifère. Mahtantu, incarnation du Mal, s'attaque à son œuvre en créant les plantes empoisonnées et les chauves-souris.

POUPÉE DES DELAWARES REPRÉSENTANT UN ESPRIT FÉMININ

W'AXKOK

W'axkok, serpent à cornes et monstre aquatique, apparaît dans les légendes des Indiens Lenni Lenape. Il épouse une jeune femme qu'il a ensorcelée. La malheureuse ne réalise qu'elle vit sous l'eau avec un serpent que quand douze femmes viennent tuer le monstre. Un jeune garçon la délivre des bébés serpents tapis dans ses entrailles.

LE CHAGRIN DU SOLEIL

Selon les Cherokees, la fille du Soleil succombe à une morsure de serpent. Son père, qui se lamente et se cache, provoque des inondations et plonge la Terre dans l'obscurité. Les hommes envoient des jeunes gens exécuter des chants et des danses pour le consoler. Le Soleil finit par retrouver le sourire.

Les rayures de la queue du raton laveur représentent le jour et la nuit

LE JOUR ET LA NUIT

Chez les Creeks, les animaux séparent le jour et la nuit. Certains penchent en faveur d'un jour continu, d'autres pour une nuit permanente. Le tamia, écureuil terrestre, tranche. Le jour et la nuit seront divisés de manière égale, comme les rayures de la queue du raton laveur.

FRÈRE OURS

En proie à la famine, les Cherokees se réunissent pour trouver une solution. Les membres d'une famille iront vivre dans la forêt, où ils se transformeront en ours et serviront de gibier. Depuis, le chasseur dit à ses proies : « Merci, mon frère. »

LAPIN

Lapin (ou Lièvre) est un trickster qui joue un rôle similaire à celui de Corbeau. Il apporte le feu à l'humanité et il est l'auteur de nombreuses farces. Lapin dérobe la coiffe d'un orphelin, faite de serpents à sonnette et de geais bleus. Pour le punir, on le jette aux chiens. Il leur échappe en les endormant.

Ceinture wampun portée lors des négociations de paix

DEGANAWIDAH ET HIAWATHA

Les cinq nations iroquoises (les Mohawks, les Onondagas, les Senecas, les Oneidas et les Cayugas) cessent de s'affronter lorsque le prophète Deganawidah a la vision de leur unification. Il en parle à Hiawatha, chef mohawk, qui jouit de la confiance des cinq tribus et les persuade de s'unir dans la ligue des Cinq Nations.

LE SCARABÉE D'EAU

D'après les Cherokees, les créatures du monde supérieur viennent à manquer d'espace. Elles envoient alors le Scarabée d'eau explorer le monde inférieur aquatique. L'insecte en rapporte de la glaise, qu'il dépose en tas de façon à former la Terre. La buse bat des ailes pour la sécher. Lorsqu'elle s'envole, ses plumes dessinent les montagnes et les vallées en effleurant la Terre.

LE MARI ÉTOILE

Deux jeunes filles ojibways épousent des étoiles et partent vivre dans le ciel. En redescendant sur terre, elles tombent dans le nid d'un aigle. C'est Lox qui leur sauve la vie.

Fleur de tabac

Épi de maïs

LA PREMIÈRE MÈRE ASSURE AUX PENOBSCOTS D'ABONDANTES RÉCOLTES

LA PREMIÈRE MÈRE

Lors d'une grande famine, la Première Mère des Indiens Penobscots se désole et ordonne à son mari de la tuer. Son époux, qui ne peut se résoudre à lui obéir, va consulter le Grand Formateur. Ce dernier lui conseille d'exécuter les volontés de son épouse. La Première Mère exige de lui qu'après son décès il traîne son corps autour du champ puis qu'il l'enterre en son centre. Sept mois après ces événements, le tabac et le maïs poussent à profusion.

LAPIN EST UN TRICKSTER

LES PLAINES

Dans les grandes plaines du centre des États-Unis vivent
des chasseurs nomades qui pourchassent le bison.
Ils se répartissent en de nombreux peuples, dont les Lakotas
(Sioux), les Pawnees et les Cheyennes. Leur culture s'est
pleinement épanouie aux XVIIᵉ et XVIIIᵉ siècles après
l'introduction du cheval par les Espagnols, vers 1600.
Le cheval a permis aux Indiens de parcourir plus rapidement
les vastes prairies et de franchir plus aisément les cours d'eau.
Le bison procure aux Indiens tout ce dont ils ont besoin,
de la nourriture au revêtement de leurs tipis. Aussi n'est-il
guère étonnant qu'il occupe une place de choix dans
la mythologie des Plaines. Il est accompagné de bien d'autres
animaux, du coyote au castor. Les héros passent souvent
de la forme d'homme à celle d'animal. Les mythes des Plaines
soulignent l'importance du pouvoir spirituel que les chamans
ou hommes-médecine exercent sur le monde
de la nature.

*Bison,
symbole
protecteur*

DANS L'ATTENTE D'UNE VISION

Les jeunes gens
des Plaines se mettent
en quête d'une vision
avant de parvenir
à l'âge adulte. Ils se
retirent dans un lieu
isolé ou sacré où ils
espèrent avoir une
vision qui leur
conférera un peu du
pouvoir des esprits de
la nature environnante.

LA FEMME-MAÏS ET LA FEMME-BISON

Sans Ailes, chasseur
pawnee, a deux épouses,
la Femme-Bison, originaire
de l'Est, qui provoque
le rassemblement
des troupeaux de bisons, et la
Femme-Maïs, venue de l'Ouest,
qui fait pousser le maïs. À la suite
d'une querelle entre la fille de la
Femme-Bison et le fils de la Femme-
Maïs, les deux Indiennes se séparent. La
Femme-Maïs part vivre sous terre, tandis
que la Femme-Bison rejoint ses troupeaux.

*BOUCLIER D'UN
GUERRIER
DES PLAINES*

*Homme-Seul explique
à son peuple que le mât
totémique les protégera après
son départ*

L'Oiseau-Tonnerre

TUNIQUE PORTÉE LORS
DE LA DANSE DU FANTÔME

LA DANSE DU FANTÔME

Certains Indiens des Plaines croient
que les défunts reviendront vivre éternellement
sur la Terre, transformée en paradis. Ils exécutent
la danse du Fantôme pour préparer cette
résurrection. Les danseurs, qui peignent leur
peau en noir, blanc et rouge, évoluent pendant
de longues périodes, presque sans interruption.

COYOTE

Coyote est un héros aussi populaire que Corbeau.
Les Indiens se désolent de ne pas connaître l'été.
La Femme au Cœur Dur garde l'été et l'hiver
dans deux sacs qui sont différents. Un jour, Coyote lui
vole le sac qui contient l'été. Il conclut
finalement un accord qui partage équitablement
l'hiver et l'été entre tous les territoires.

DEUX HÉROS FRÈRES

Deux jumeaux, sortis du ventre de leur mère qui
expire, deviennent des héros célèbres. Ils sont
toujours prêts à libérer le monde des dangers
qui le menacent. Ils tuent un redoutable alligator
et d'affreux serpents, puis ils empêchent une loutre
de dévorer le petit de l'Oiseau-Tonnerre.

LA DANSE DU BISON

Le bison procure aux Indiens la viande
dont ils se nourrissent, les peaux pour
leurs vêtements et leurs tipis, et les os pour
leurs outils. Les chasseurs des Plaines savent
que l'issue des chasses dépend de l'exécution
des cérémonies rituelles. L'un des rites
consiste à appeler le bison. Après la chasse,
les Indiens, parés d'un masque, exécutent
des danses près d'un poteau
surmonté d'une tête
de bison.

GRAND-ESPRIT

Au commencement, il n'y a que de l'eau.
Un jour, Grand-Esprit et Homme-Seul,
qui marchent sur l'eau, voient une foulque
s'enfoncer profondément sous l'eau. Ils lui
demandent de plonger à nouveau pour rapporter
du sable, avec lequel ils façonnent la Terre.
Grand-Esprit crée des monts, et Homme-Seul
la terre plate. Par la suite, Grand-Esprit est
associé à Coyote.

HOMME-SEUL

Les Mandans ont accédé à la terre depuis le monde
souterrain, en grimpant le long d'une vigne. Mais
une femme enceinte casse la vigne et condamne
des Mandans à rester dans le monde inférieur.
Ceux qui ont pu sortir ont emporté du maïs.
Ils réussissent à le faire pousser grâce aux chants
que leur apprend un de leurs premiers chefs.
Homme-Seul, mué en épis de maïs, est mangé par
une jeune femme qui conçoit un enfant. Celui-ci
devient un sage et le guide du peuple mandan.

WAKAN TANKA

Les Lakotas (Sioux) croient qu'il existe dans l'Univers une puissance créatrice, un Être suprême qui s'appelle Wakan Tanka (Grand Mystère). Wakan Tanka est à l'origine de tous les grands phénomènes naturels tels que la foudre ou l'arc-en-ciel. Les chamans tentent d'exploiter cette puissance au bénéfice des hommes.

TIRAWA

Tirawa, l'Être suprême des Pawnees, est présent en toute chose et surtout dans le tonnerre, dont le bruit annonce le retour des dieux sur terre après l'hiver. Tirawa crée le premier homme et la première femme en faisant s'accoupler le Soleil et la Lune. Il leur apprend à vivre et à fabriquer le premier autel avec un crâne de bison.

PIPE-MÉDECINE

Plumes d'aigle

CALUMET ORNÉ D'UN HOMME, D'UNE FEMME ET D'UN CHEVAL

PTESAN WIN

Ptesan Win, ou Femme-Bison-Blanc, offre le premier calumet sacré aux Lakotas. Un jeune bison, des plumes d'aigle et des cercles sont sculptés sur la pipe. Après avoir décrit l'usage de la pipe, Ptesan Win se change en bison.

LE CALUMET

Le calumet est un objet sacré. Beaucoup de tribus considèrent qu'il leur a été transmis lors de la création du monde par l'esprit d'un animal tel que le castor ou la Femme-Bison-Blanc. Les Indiens fument le calumet au début des cérémonies ou lors de rituels comme la danse du Soleil.

LA DANSE DU SOLEIL

La danse du Soleil fait partie d'un rituel annuel qui célèbre le rôle de l'astre dans la création de l'Univers et la renaissance périodique de la végétation. On érige un mât reliant la Terre aux mondes supérieur et inférieur, autour duquel les Indiens forment un cercle. Les membres de la tribu qui veulent absorber la puissance spirituelle et le pouvoir créateur du Soleil dansent autour du mât. Après des jours de danse, ils entrent en transe ou ils tombent d'épuisement.

CRÂNE DE BISON DÉCORÉ, UTILISÉ POUR LA DANSE DU SOLEIL

ÉTOILE-FILANTE

Une jeune femme s'éprend d'une étoile et enfante le héros Étoile-Filante. La version cheyenne rapporte qu'Étoile-Filante supprime un monstre aquatique mangeur d'hommes. Son plus grand exploit est de tuer un corbeau blanc qui suit les bisons et les prévient de l'approche des chasseurs.

STATUETTE DE BISON

La tortue rappelle le Plongeur

DÉTAILS D'UN BOUCLIER CHEYENNE

ÉPREUVE PENDANT LA DANSE DU SOLEIL

LE PLONGEUR

Le Plongeur est présent dans la plupart des mythes de la Création des Indiens d'Amérique du Nord. Castor, scarabée, canard, vison ou tortue, le Plongeur emprunte diverses formes. Dans le monde aquatique originel, le Plongeur s'enfonce dans l'eau et rapporte la boue que l'Être suprême utilise pour former la Terre. Dans certaines versions, le Créateur est Coyote.

LE GRAND CASTOR

Pour les Cheyennes, le monde supérieur et le monde inférieur sont séparés par une grande poutre en bois. Le Grand Castor du Nord ne cesse de la mordiller. S'il la grignote complètement, le ciel tombera sur terre, ce qui entraînera la fin du monde.

VOIR AUSSI

CHAMANS 96 • COYOTE 103
OISEAU-TONNERRE 103

MYTHES DE LA CRÉATION 8
DIEUX ET DÉESSES 10
HÉROS ET TRICKSTERS 12
MONSTRES MYTHIQUES 14
ANIMAUX ET PLANTES 16
Y A-T-IL UNE FIN ? 18

L'Ouest

La côte ouest de l'Amérique du Nord a été occupée par des peuples aussi différents que les pêcheurs de saumons des forêts du Nord-Ouest et les tribus installées dans le désert aride du sud de la Californie. Les premiers ont développé un culte des ancêtres élaboré. Chaque tribu possède ses propres ancêtres animaux, dont les effigies sont sculptées sur les mâts totémiques dressés devant les habitations. Le trickster Corbeau et le gigantesque et terrifiant Oiseau-Tonnerre font partie des multiples animaux de la mythologie des peuples du Nord-Ouest. Les récits de la création font apparaître un monde supérieur qui se présente comme une sorte de gigantesque coupe couvrant la Terre. Les divinités empruntent des formes étonnantes et terrifiantes.

CALUMET FIGURANT LE TRICKSTER CORBEAU AVEC L'ÉPOUSE D'UN PÊCHEUR

CORBEAU

Beaucoup de tribus du Nord-Ouest considèrent que Corbeau a aidé le Créateur à achever la formation du monde. C'est à lui, par exemple, que les hommes doivent les baies. Corbeau se change en une aiguille de pin qui est avalée par la fille du Chef du Ciel. Elle enfante un fils auquel le Chef du Ciel offre un coffret contenant le Soleil. L'enfant, redevenu Corbeau, s'envole vers le ciel et ouvre quotidiennement le coffret pour éclairer la Terre.

FEMME-NUAGE-CLAIR

L'épouse de Corbeau est une femme-saumon, appelée Femme-Nuage-Clair. Elle peut sortir des rivières et se métamorphoser comme Corbeau. Mais, en général, elle réside dans son propre royaume, sous l'eau, où, à l'instar des autres poissons, il lui arrive de prendre une apparence humaine. Femme-Nuage-Clair veille sur les poissons.

MASQUE

Tête d'oiseau peinte à l'intérieur du masque

Image représentant l'esprit d'un ancêtre

Visage d'homme avec un bec d'oiseau

Cordon pour ouvrir et fermer le masque

KWATYAT

Chez les Nootkas, Kwatyat, héros et trickster qui se métamorphose à sa guise, est le créateur du cosmos. C'est un personnage très actif. Il transforme une mare de graisse en lac, il s'empare d'un territoire appartenant à un chef des loups et il éclate à force de transpirer. Finalement, il part pour le sud en emportant une rivière.

HOCHET EN FORME DE SAUMON RENFERMANT L'IMAGE D'UN CHAMAN

MÂT TOTÉMIQUE HAIDA

WAKIASH

Les peuples du Nord-Ouest érigent des mâts totémiques figurrant leurs ancêtres. Un chef, Wakiash, est mécontent car sa tribu ne possède pas de danse. Alors qu'il vole en compagnie de Corbeau, il aperçoit une habitation précédée d'un mât totémique. À l'intérieur, des animaux dansent. La demeure lui plaît tellement qu'il la glisse dans son balluchon pour la rapporter chez lui. Quand il dépose son fardeau, la maison et le mât réapparaissent. Alors que le chef s'emploie à copier la danse des animaux, la maison et le mât s'évanouissent. Il sculpte alors un mât totémique, le premier de sa tribu.

LA FEMME QUI A ÉPOUSÉ LE SOLEIL

Pour les Indiens Bella Coola, le Soleil a épousé une mortelle. Après la naissance d'un fils, elle redescend sur terre en utilisant les cils de son mari, les rayons du Soleil. Là, les hommes se moquent de son enfant parce qu'il n'a pas de père. Furieux, le garçon lance vers le ciel des flèches le long desquelles il grimpe pour rejoindre le Soleil et le supplanter. Mais, dans sa hâte, il allume toutes les torches du Soleil et provoque une sécheresse dévastatrice. La Terre est ravagée. Les arbres sont brûlés, le sol est calciné. Les animaux, qui n'ont pas le temps de se mettre à l'ombre, ont le pelage brûlé. Le Soleil renvoie son fils sur terre, où il devient Vison, le trickster des tribus de la côte ouest, qui sera pourchassé sans répit.

Visage sculpté représentant l'esprit du Soleil

MASQUE DU SOLEIL BELLA COOLA

MÈRE-OURSE

Selon une légende haida, on interdit à Kind-a-wuss d'épouser son bien-aimé, Quiss-an-kweedas, parce qu'ils sont de la même famille. La jeune femme s'en va alors vivre avec le chef des ours et devient Mère-Ourse. Elle donne deux fils à son compagnon, qui est très bon pour elle. Mais Quiss-an-kweedas finit par la retrouver. Émue par les épreuves qu'ils ont traversées, la tribu autorise les jeunes gens à se marier.

Les mains représentent les deux petits de Mère-Ourse

LE POTLATCH

Dans le Nord-Ouest, on distingue les vrais chefs par la facilité avec laquelle ils distribuent leurs biens. Au cours d'une grande fête, le potlatch, le chef offre des cadeaux à des centaines d'invités venus de toute la région. Il ne perd pas ses richesses pour autant, car lui-même recevra des dons lors d'autres potlatchs.

Objet en cuivre sculpté, cadeau de valeur lors d'un potlatch

Coiffe haida ornée d'une effigie de castor en bois sculpté

LA LUTTE ENTRE CASTOR ET PORC-ÉPIC

Castor et Porc-Épic sont amis, mais, un jour, Porc-Épic vole la nourriture de Castor, qui se venge en lui jouant un tour. Il propose à Porc-Épic de se promener sur son dos, puis il l'abandonne sur une souche d'arbre, au milieu d'un lac. Pour rejoindre Castor, Porc-Épic fait venir le mauvais temps, qui gèle le lac. Puis il décide de prendre sa revanche. À son tour, il fait monter Castor sur son dos et il le laisse au sommet d'un grand arbre. Castor réussit à descendre en rongeant le tronc. Depuis, les castors sont des experts dans l'art de tailler le bois.

SCULPTURE EN BOIS DE L'OISEAU-TONNERRE, CRÉATURE MYTHIQUE DES HAIDAS

L'OISEAU-TONNERRE

Redouté dans toute l'Amérique du Nord, le terrible Oiseau-Tonnerre est un aigle gigantesque qui fonce vers la Terre et enlève toutes les créatures vivantes, les énormes baleines y compris. Lorsqu'il cligne des yeux, il lance des éclairs et, lorsqu'il bat des ailes, il produit les roulements du tonnerre. Parfois, il parcourt le ciel avec deux serpents-éclairs qui forment aussi sa ceinture et son harpon. Bien qu'il soit dangereux et qu'il provoque parfois une mort rapide, beaucoup d'Indiens pensent que voir ou entendre l'Oiseau-Tonnerre porte chance ou annonce la prospérité.

Plumes d'un aigle blanc

Plumes de queue de pie

LA CALIFORNIE

Les tribus de Californie constituent un groupe culturel distinct. Elles ont élaboré des mythes très variés. La plupart possèdent une histoire de la Création qui place au début du monde une vaste étendue d'eau. Parfois, le trickster Coyote aide le Créateur à former la Terre.

LA MAIN DU LÉZARD

La plupart des cultures indiennes ont conçu un mythe qui explique l'origine de la mort. Chez les Indiens de Californie, Coyote y joue un rôle essentiel. Les créatures se réunissent pour débattre de la forme à donner aux hommes. Coyote propose que l'homme ait les poings fermés comme lui. Lézard plaide pour lui donner des mains formées de cinq doigts, à l'image des siennes. Coyote cède à Lézard, mais il décide que les hommes paieront le prix pour leurs mains ouvertes. Ils devront mourir.

PENDENTIF PORTE-BONHEUR EN FORME DE LÉZARD

KUMUSH

Kumush est le Créateur de la tribu des Modoc. D'abord, il forme le territoire de ce peuple, puis il demande aux rivières et aux montagnes de prendre soin de la tribu à venir. Après le décès de sa fille, Kumush se rend dans la maison de la Mort, dont il rapporte des ossements qu'il plante dans la terre. Ces os donnent naissance aux Modocs.

COYOTE

Le trickster Coyote a un fils qu'il chérit tendrement. Un jour, le garçon va chercher de l'eau à la rivière. Le courant, qui se transforme en serpents à sonnette, le tue. Accablé de chagrin, Coyote prend conscience que la mort, qu'il a apportée sur la Terre, est funeste. Il supplie le Créateur de ramener l'enfant à la vie. Le refus du Créateur transforme Coyote en fauteur de troubles permanent.

COYOTE, L'ÉTERNEL FAUTEUR DE TROUBLES

Duvet de cygne symbolisant l'aigle

LES ESPRITS DES TLINGITS

Comme la plupart des Indiens, les Tlingits croient que les esprits des animaux sont partout dans la nature. Chaque espèce, le moustique inclus, a sa propre histoire. Un géant, qui boit le sang des hommes et dévore leur chair, est tué par un héros qui le découpe et brûle les morceaux. De ces cendres jaillit la première nuée de moustiques.

COIFFE D'UN CHAMAN TLINGIT

LES INDIENS DU SUD-OUEST

Le sud-ouest des États-Unis, formé de déserts arides
et de hautes montagnes, est le berceau des Indiens Pueblos,
qui s'y sont installés il y a plus de deux mille ans. Ils ont
construit leurs villages en pierre ou en briques crues sur
des plateaux rocheux appelés mesas ou au bord des quelques
rivières existantes, et ils ont commencé à cultiver le maïs. Il y
a environ sept cents ans, les Navajos et les Apaches ont quitté
le Canada pour s'établir dans cette région. Chasseurs
et guerriers, ces deux peuples ont adopté l'agriculture
et un mode de vie plus stable sur leur nouveau territoire.
L'eau, rare dans cette partie de l'Amérique, explique
l'existence dans la mythologie de nombreux esprits
qui apportent la pluie. Les peuples du Sud-Ouest partagent
les mêmes mythes concernant l'émergence de l'homme.
Celui-ci n'apparaît qu'après être passé par une série
de mondes différents.

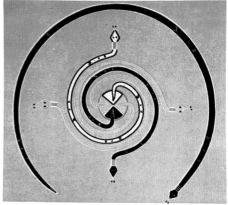

PEINTURE DE SABLE NAVAJO

LES PEINTURES DE SABLE

Avec du sable, mélangé
à du charbon de bois et
du pollen, les Navajos
exécutent des peintures
représentant des scènes
mythologiques
stylisées. Les œuvres
suivent un modèle
précis, qu'il faut
respecter dans le
moindre détail. Les
cérémonies de guérison
se déroulent près de
ces peintures rituelles.

FEMME-CHANGEANTE

Femme-Changeante, la déesse
créatrice, est l'œuvre du Dieu
suprême des Navajos, qui l'a
façonnée d'un morceau de
turquoise. Elle fabrique les
hommes avec un mélange de
farine de maïs et de chair de sa
poitrine et vit sur une île,
à l'ouest, d'où elle envoie aux
Navajos de douces brises et
des pluies qui irriguent la terre.
Déesse de la Nature et de la
Naissance, Femme-
Changeante symbolise
les cycles de la nature,
de la vie et de la mort.

Femme-Changeante, vieille en hiver et jeune en été

Épis de maïs flanqué de saints personnages

COUVERTURE NAVAJO AU DÉCOR
INSPIRÉ D'UNE PEINTURE DE SABLE

LES FRÈRES JUMEAUX

Les frères jumeaux,
enfants du Soleil, sont
très appréciés des
Indiens du Sud-Ouest,
qui les appellent les
Dieux biens-aimés.
Parfois considérés
comme des dieux
guerriers, leurs
victoires apportent le
bonheur.

GARÇON-CIEL

Le Créateur apache
a fait venir le cosmos
à l'existence par
la pensée, et le ciel par
le chant. Il crée ensuite
Garçon-Ciel, le dieu
du Ciel, Fille-Terre,
déesse de la Terre
et des Récoltes, et Fille-
Pollen, déesse
de la Santé
et de la Médecine.

FILLE-SANS-PARENTS

Le premier être
formé par le Créateur
apache est Fille-Sans-
Parents, qui apparaît
assise sur un nuage
flottant. Elle donne
des coups de pied
à la balle faite par
le dieu, jusqu'à
ce qu'elle devienne
une vaste étendue
terrestre.

GARÇON-MAÏS ET FILLE-MAÏS

Garçon-Maïs-Blanc et Fille-Maïs-Jaune, formés par
le Créateur à partir de deux épis de maïs, apportent
ce végétal aux Navajos, qui en font leur aliment de base.
Plante sacrée, le maïs est utilisé lors des cérémonies
religieuses. Les masques des chamans sont nourris
de farine de maïs, censée leur donner la vie.

TSOHANOAI

Tsohanoai, le dieu du Soleil des Navajos,
est le Créateur et l'époux de Femme-
Changeante. Chaque jour, il traverse
le ciel en portant le soleil sur son dos.
La nuit, il le suspend sur le mur
ouest de sa maison. Tsohanoai
et Femme-Changeante ont deux
fils, Tueur d'Ennemis et Enfant
de l'Eau. Tsohanoai, qui ne reconnaît
pas ses enfants, les chasse de chez lui.
Ensuite, il leur offre des flèches
magiques pour combattre
les mauvais esprits.

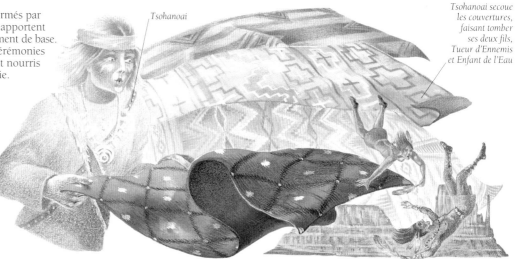

Tsohanoai

Tsohanoai secoue les couvertures, faisant tomber ses deux fils, Tueur d'Ennemis et Enfant de l'Eau

LA DANSE DU SERPENT

Les Hopis sont célèbres pour la danse du Serpent, qui existe toujours, dont le but est de faire venir la pluie et de favoriser les récoltes. Une légende hopi raconte que c'est un héros, devenu membre du clan des Serpents, qui a enseigné cette danse à son peuple. Les prêtres dansent avec des serpents vivants dans les bras et un dans la bouche sans se faire mordre. À la fin, les serpents sont relâchés et vont porter les prières des Indiens aux dieux de la pluie.

SERPENT ZUNI ET HOPI, SYMBOLE DE FÉCONDITÉ

Les plumes sont un ornement caractéristique

POUPÉE EN BOIS PEINT REPRÉSENTANT UN KACHINA

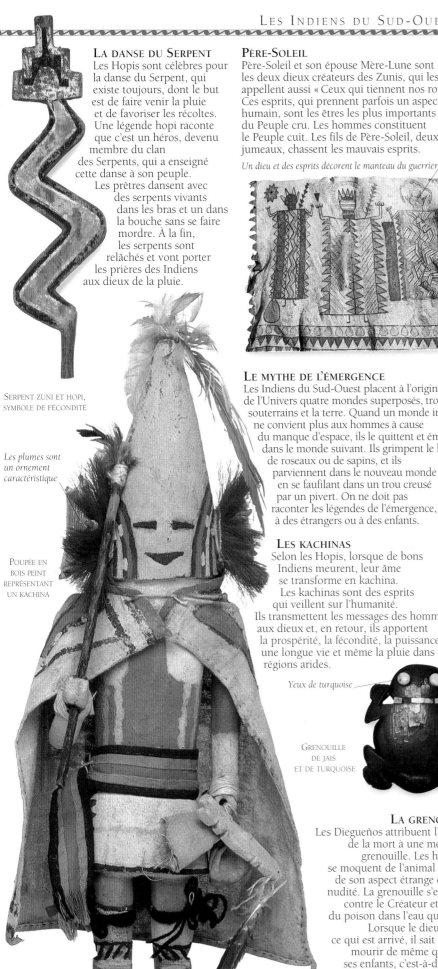

PÈRE-SOLEIL

Père-Soleil et son épouse Mère-Lune sont les deux dieux créateurs des Zunis, qui les appellent aussi « Ceux qui tiennent nos routes ». Ces esprits, qui prennent parfois un aspect humain, sont les êtres les plus importants du Peuple cuit. Les hommes constituent le Peuple cru. Les fils de Père-Soleil, deux frères jumeaux, chassent les mauvais esprits.

Un dieu et des esprits décorent le manteau du guerrier

LE MYTHE DE L'ÉMERGENCE

Les Indiens du Sud-Ouest placent à l'origine de l'Univers quatre mondes superposés, trois souterrains et la terre. Quand un monde inférieur ne convient plus aux hommes à cause du manque d'espace, ils le quittent et émergent dans le monde suivant. Ils grimpent le long de roseaux ou de sapins, et ils parviennent dans le nouveau monde en se faufilant dans un trou creusé par un pivert. On ne doit pas raconter les légendes de l'émergence, à des étrangers ou à des enfants.

LES KACHINAS

Selon les Hopis, lorsque de bons Indiens meurent, leur âme se transforme en kachina. Les kachinas sont des esprits qui veillent sur l'humanité. Ils transmettent les messages des hommes aux dieux et, en retour, ils apportent la prospérité, la fécondité, la puissance, une longue vie et même la pluie dans les régions arides.

Yeux de turquoise

GRENOUILLE DE JAIS ET DE TURQUOISE

LA GRENOUILLE

Les Diegueños attribuent l'origine de la mort à une méchante grenouille. Les hommes se moquent de l'animal à cause de son aspect étrange et de sa nudité. La grenouille s'emporte contre le Créateur et crache du poison dans l'eau qu'il boit. Lorsque le dieu réalise ce qui est arrivé, il sait qu'il va mourir de même que tous ses enfants, c'est-à-dire tout ce qui vit sur la terre et compose la Création.

COUVERTURE TISSÉE ORNÉE DE MOTIFS DE CHASSE

FEMME-ARAIGNÉE

Femme-Araignée, ou Grand-Mère, est un esprit hopi qui apparaît sous l'aspect d'une araignée ou d'une vieille femme. Sous l'une ou l'autre forme, on l'accueille avec joie, car elle incarne la bonne fortune. Elle aide les hommes qui sont en danger ou qui sont malades. Elle enseigne le tissage. Les peuples du Sud-Ouest la vénèrent pour sa puissance et ses capacités à résoudre les problèmes.

PAPILLON

Les papillons jouent un rôle important dans la mythologie du Sud-Ouest. Pour les Zunis, les papillons sont nés après qu'un kachina appelé Paiyatemu a joué de la flûte. Dans les légendes des Navajos, les papillons servent de déguisement aux héros. Chez les Pimas, l'esprit créateur est Papillon, Cherwit Maké. Il descend des nuages vers les Blue Cliffs, au confluent des rivières Verde et Salt, où il façonne les hommes avec sa sueur.

GRAND-FRÈRE

Grand-Frère, un esprit pima, détruit le monde, puis il crée une nouvelle race d'hommes. Mécontent, le Créateur envoie les hommes dans le monde souterrain. La Buse tue Grand-Frère, qui revient à la vie et sauve son peuple.

LES MAYAS

La civilisation maya a connu son apogée entre 250 et 900 au Mexique – dans la péninsule du Yucatán et dans l'État de Chiapas –, au Guatemala et au Honduras. Elle s'est épanouie autour de vastes centres cérémoniels comme Palenque, Tikal ou Copán. Le cœur de ces cités est formé par de grandes places où s'élèvent les temples-pyramides dédiés aux dieux. Les Mayas ont relaté l'histoire de leurs divinités dans des manuscrits rédigés avec leur propre écriture pictographique. Trente seulement y sont mentionnés ; les dieux veillent sur le climat et les récoltes.

KINICH AHAU

Comme beaucoup de divinités solaires, Kinich Ahau, le dieu du Soleil des Mayas, change d'aspect le jour et la nuit. Dans la journée, pendant qu'il voyage dans le ciel, il apparaît jeune ou vieux. La nuit, au cours de la traversée du monde souterrain qu'il effectue de son coucher à son lever, Kinich Ahau s'identifie au puissant dieu-Jaguar, redoutable divinité des Ténèbres. Les Mayas le représentent souvent avec un nez assez large.

L'AIGLE

Symbole du temps, l'aigle harpie est associé à Kinich Ahau, le dieu du Soleil, qui fait alterner le jour et la nuit en parcourant le ciel. L'aigle représente le katun, une période du calendrier maya qui compte 7 200 jours. Une année maya équivaut à 360 jours.

Itzamna tient un serpent divinatoire

LE DIEU-JAGUAR

Les larmes de Chac apportent des pluies bénéfiques à la terre

ITZAMNA

Itzamna, seigneur du Ciel, du Jour et de la Nuit, est le dieu suprême du panthéon maya. Inventeur de l'écriture et des rituels religieux, patron des connaissances, il est le père de la plupart des divinités, qu'il a engendrées avec son épouse, Ix Chel. Il est représenté comme un vieil homme édenté, aux joues creuses et au nez crochu.

IX CHEL

Ix Chel (Dame Arc-en-ciel), l'épouse d'Itzamna, est la déesse de la Lune. Figurée comme une vieille femme, elle préside au tissage, à la médecine, à la fertilité et aux accouchements. Elle veille aussi sur les artisans et peut prédire l'avenir.

Serpent

LE DIEU-JAGUAR

Le jaguar est le plus puissant et le plus grand des félins d'Amérique centrale. Les premiers peuples du Mexique, qui l'admiraient et le redoutaient, en ont très tôt fait un dieu. Le dieu-Jaguar des Mayas est une terrifiante divinité des ténèbres qui règne sur Xibalba, l'Inframonde (monde souterrain). Mais il représente aussi la souveraineté et la fertilité de la terre. Au cours des cérémonies qui visent à guérir les malades ou à favoriser la chasse, les prêtres revêtent des peaux de jaguar pour capter la force de l'animal.

CHAC

Dieu de la Pluie, Chac est représenté comme un guerrier en pleurs dont les larmes irriguent la terre. Divinité bienfaisante, contrairement à la déesse de la Tempête, il apporte la pluie et il est particulièrement honoré par les cultivateurs. C'est aussi le dieu de l'Agriculture : il a fait découvrir le maïs aux Mayas en ouvrant la pierre qui recelait la première pousse de cette plante. Les Mayas le vénèrent sous la forme de quatre divinités bienveillantes de couleurs différentes, correspondant aux quatre points cardinaux.

CHAC, LE DIEU DE LA PLUIE

LA DÉESSE DE LA TEMPÊTE

La déesse de la Tempête est parfois considérée comme l'une des incarnations d'Ix Chel. Les Mayas la craignent car, avec le Serpent céleste, elle provoque de terribles inondations. Pour apaiser la déesse, qui exprime sa colère contre les hommes en faisant tomber des pluies diluviennes, les prêtres lui offrent des sacrifices.

PAUAHTUN

Le dieu Pauahtun, qui possède quatre incarnations, se dresse aux quatre coins du ciel. Il le soutient en même temps que le royaume supérieur qui domine la Terre, d'après les Mayas. Mais Pauahtun est aussi un ivrogne et le dieu imprévisible du Tonnerre et du Vent. Il a pour attributs une carapace de tortue et une conque.

LE JEU DE BALLE

Xbalanque et Hunahpu, deux jumeaux constamment occupés à jouer à la balle, troublent les dieux, qui les convoquent dans l'Inframonde. Là, les deux héros surmontent une série d'épreuves jusqu'au moment où une chauve-souris décapite Hunahpu. Les dieux de la Mort utilisent la tête tranchée en guise de balle. Xbalanque la remplace par une tortue sans que les dieux s'en aperçoivent et il la rend à son frère, qui redevient lui-même. Les jumeaux éliminent alors les dieux de l'Inframonde, puis ils se réincarnent sous la forme du Soleil et de la Lune.

Tenue de protection

JOUEUR DE BALLE

HUN HUNAHPU

Hun Hunahpu, dieu du Maïs, est le père des jumeaux héroïques, Hunahpu et Xbalanque. Hun Hunahpu et son frère, invités par les dieux de l'Inframonde à participer au jeu de balle, sont sauvagement assassinés dans la demeure de leurs hôtes. Les jumeaux vengent leur mort.

HUNAHPU ET XBALANQUE

Xbalanque reprend par la ruse la tête décapitée de son frère Hunahpu avec laquelle les dieux de l'Inframonde jouent au jeu de balle. Il la replace sur le corps de son frère, qui revient à la vie. Les dieux, témoins de l'événement, demandent aux jumeaux d'exécuter ce tour prodigieux sur leurs personnes. Les jumeaux s'exécutent. Ils coupent les dieux en morceaux, mais ils se gardent bien de reconstituer leurs corps.

AH PUCH

Dieu de la Mort et de l'Inframonde, ennemi de la fertilité, Ah Puch se reconnaît aisément à ses os apparents et à sa tête en forme de crâne. Dans les textes mayas, on déchiffre tout aussi facilement ses symboles, un crâne et une tête de mort. Les Mayas redoutent cette divinité malfaisante qui rend visite aux malades et aux moribonds, prête à emmener leurs âmes à Mitnal, le royaume des morts situé à l'ouest.

Ah Puch, dieu de la Mort, sous forme de squelette

TOHIL

Tohil est le dieu du Feu et du Sacrifice. D'après le mythe de la création des Mayas, le premier monde a été détruit par l'eau et le feu. Au début du deuxième monde, les ancêtres des hommes ont émergé en un lieu, appelé les Sept Grottes, où ils ont rencontré Tohil pour la première fois.

Collier symbole de puissance

VUCUB CAQUIX

Ce vautour monstrueux est le dieu du Soleil d'un monde précédent. Créature terrifiante, Vucub Caquix sème la ruine et la désolation sur la Terre jusqu'à ce que les deux jumeaux héroïques, Hunahpu et Xbalanque, le détruisent. Il a pour fils « Tremblement de terre » et « Celui qui soulève les montagnes ».

Hun Hunahpu est coiffé d'un épi de maïs

HUN BATZ ET HUN CHOUEN

Fils aînés de Hun Hunahpu, Hun Batz et Hun Chouen sont des artistes et des danseurs de talent. Ils comptent sur leurs frères, Xbalanque et Hunahpu, pour chasser et les nourrir. Lassés, les deux jumeaux héroïques les obligent à grimper dans un arbre. Celui-ci se met à pousser et prend Hun Batz et Hun Chouen au piège. Pour redescendre, ils se changent en singes. Depuis, les singes protègent les artistes et les danseurs.

LES AZTÈQUES

En 1519, lors de l'arrivée des conquistadors espagnols, l'Empire aztèque, fondé en 1430, s'étend du Guatemala à l'État actuel de San Luis Potosí, au nord du Mexique. Sa capitale, la grandiose Tenochtitlán, recouverte depuis par Mexico, se trouve sur une île du lac Texcoco. Selon la légende, en s'installant en ce lieu, les Aztèques ont obéi au dieu Huitzilopochtli, qui leur recommandait de se fixer là où ils verraient un aigle perché sur un grand cactus avec un serpent dans son bec. Les Aztèques sont les derniers héritiers des cultures précolombiennes du Mexique qui se sont succédé depuis les Olmèques, dont la civilisation remonte à 1200 avant J.-C. Ces peuples leur ont légué les temples-pyramides, les sacrifices humains et le jeu de balle.

TEZCATLIPOCA

Tezcatlipoca, « Miroir fumant », le Créateur tout-puissant, est le frère de Quetzalcoatl. Il donne le jour aux éléments négatifs de la création tels que la nuit ou les monstres. Patron des magiciens et des mécréants, il lutte sans cesse contre Quetzalcoatl. Il est l'incarnation de la Mort et du Mal. Avec son miroir magique, il prédit l'avenir.

MASQUE DE
TEZCATLIPOCA

XIPE TOTEC,
DIEU DU
PRINTEMPS

Peau
de victime
humaine

QUETZALCOATL

Fils de la Terre et du Soleil, Quetzalcoatl, dont le nom signifie « serpent à plumes » et « jumeau précieux », est une divinité très ancienne que les Aztèques vénèrent comme dieu de la Vie, des Artisans et de l'Agriculture. Les Aztèques vivent sous la cinquième ère, ou Cinquième Soleil. Après la disparition du Quatrième Soleil, Quetzalcoatl et Xolotl se sont rendus dans l'Inframonde, Mictlan, pour dérober les ossements avec lesquels ils ont créé les hommes du Cinquième Soleil.

QUETZALCOATL,
LE SERPENT À PLUMES

Symboles
des planètes

XOLOTL, FRÈRE
DESTRUCTEUR
DE QUETZALCOATL

Un pansement
recouvre
son œil crevé

Hache

CHALCHIUHTLICUE

Déesse des Mers, des Lacs et des Rivières, Chalchiuhtlicue, « Celle qui a une jupe de jade », déclenche les tempêtes et les ouragans, mais elle est aussi la protectrice des pêcheurs. Épouse de Tlaloc, dieu de la Pluie, elle est également associée aux accouchements à cause des eaux que perdent les parturientes.

MASQUE
DE CHALCHIUHTLICUE

TLALOC,
DIEU
DE LA PLUIE

XOLOTL

Xolotl, dieu à tête de chien, est le frère jumeau de Quetzalcoatl, dont il porte les bijoux. Il est le dieu du Jeu de balle, des Monstres et des Jumeaux. Sa réponse aux prières qu'on lui adresse dépend de la façon dont ses oreilles sont pointées. Il a participé à la création de l'humanité, puis a regretté son œuvre et apporté le malheur aux hommes. Son œil crevé est le symbole des souffrances qu'il a endurées.

XIPE TOTEC

Dieu de la Végétation, du Printemps et des Saisons qui veille sur la fertilité des champs, Xipe Totec, Notre Seigneur l'Écorché, est revêtu d'une peau d'homme qui rappelle les sacrifices humains dont il est le bénéficiaire. Les prêtres portent les peaux des victimes jusqu'à dessèchement complet.

TLALOC

Tlaloc, « Celui qui fait germer », est le dieu de la Pluie que les Mayas appellent Chac. Les Aztèques lui dédient la moitié du Templo Mayor, le grand sanctuaire de Tenochtitlán. Dieu surtout bienfaisant, il peut causer inondations ou sécheresse. Aussi, lors de certaines fêtes, on lui sacrifie des enfants.

OMETEOTL

Créateur suprême des Aztèques, Ometeotl vit à Omeyocán, lieu de la Dualité, le domaine le plus élevé du ciel. Sa nature est double. Il est à la fois mâle sous l'aspect d'Ometecuhtli et femelle sous celui d'Omecihuatl. Ce couple primordial engendre les quatre grandes divinités créatrices : Tezcatlipoca, Huitzilopochtli, Xipe Totec et Quetzalcoatl, qui donnent eux-mêmes naissance aux autres divinités et aux hommes.

OMETECUHTLI, INCARNATION MASCULINE D'OMETEOTL

TÊTE DE COYOLXAUHQUI

Le visage de la déesse est paré de grelots

COYOLXAUHQUI

Coyolxauhqui, « Celle qui est ornée de grelots peints », doit son nom aux clochettes qui tintinnabulent sur ses joues. Déesse de la Lune, elle est la fille de Coatlicue, déesse de la Terre. Son demi-frère Huitzilopochtli la décapita après sa propre naissance et lança sa tête dans le ciel, où elle devint la lune.

MICTLANTECUHTLI

Coiffe conique

Crâne symbolisant la mort

MICTLANTECUHTLI

Dieu de la Mort, Mictlantecuhtli règne sur Mictlan, l'Inframonde. Avant de rejoindre ce royaume paisible et silencieux, les âmes effectuent un périlleux voyage à travers huit forêts sombres, huit déserts, huit montagnes, et elles franchissent un fleuve au courant impétueux.

Double épi de maïs

CHICOMECOATL

LES DIVINITÉS DU MAÏS

Les Aztèques vénèrent plusieurs dieux associés au maïs, plante d'importance vitale. La déesse Chicomecoatl représente les semences mises de côté pour la récolte suivante. Le dieu Centeol, « Seigneur aux épis de maïs », est honoré par des sacrifices qui visent à assurer de bonnes récoltes.

HUITZILOPOCHTLI

« Colibri de gauche », l'un des rares dieux d'origine aztèque, est le dieu principal adoré à Tenochtitlán. Dieu guerrier, il représente le Soleil. Pour qu'il ait la force de lutter pendant son voyage nocturne et de renaître le matin, on le nourrit tous les jours du sang de victimes humaines.

XOCHIQUETZAL

Déesse des Fleurs, des Fruits et de la Musique, Xochiquetzal, « Oiseau des fleurs », veille sur la fécondité des humains. Elle règne aussi sur une partie du monde souterrain réservé aux guerriers morts au combat et aux femmes mortes en accouchant d'un garçon.

LES SACRIFICES HUMAINS

Priver les dieux de la chair et du sang des victimes humaines, desquels ils se nourrissent, entraînerait à coup sûr leur disparition et ferait basculer l'ordre cosmique dans le chaos. Les Aztèques sacrifient donc beaucoup d'hommes, généralement des prisonniers de guerre capturés dans de ce but, pour alimenter les dieux. On verse le sang dans la coupe que tient le chacmool, statue de personnage couché.

CHACMOOL

Coupe destinée à recueillir le sang et le cœur des victimes humaines

HUEHUETEOTL

Huehueteotl est un très ancien dieu du Feu remontant à la civilisation olmèque, qui s'est épanouie au Mexique à partir de 1200 environ avant J.-C. Pour cette raison, il est vénéré comme le plus ancien des dieux aztèques. Il est le protecteur des foyers. Huehueteotl est souvent représenté comme un vieillard édenté et bossu qui porte un encensoir sur la tête.

VOIR AUSSI

INCAS 110
JEU DE BALLE 107
MAYAS 106

INTRODUCTION 6-19

LES INCAS

L'Empire inca, fondé vers 1440 par le souverain Pachacuti, atteint son apogée une cinquantaine d'années plus tard. Il s'étend alors de la Colombie au centre du Chili, englobant l'Équateur, le Pérou, la Bolivie et le nord-ouest de l'Argentine. Il rayonne à partir de Cuzco, la capitale établie dans le sud du Pérou. La civilisation inca se distingue par ses remarquables constructions de pierre, ses somptueux bijoux et objets en or et son réseau routier, qui relie toutes les parties d'un royaume très montagneux.

En 1532, les conquistadors espagnols, conduits par Francisco Pizarro, s'emparent de cet empire qui a duré moins d'un siècle. Les Incas vénèrent surtout le Soleil. Parmi les autres divinités figurent les déesses de la Terre et de la Lune et des dieux de la fertilité et de l'agriculture.

MASQUE
EN OR D'INTI,
LE SOLEIL

Fragment de la porte du Soleil à Tiahuanaco

VIRACOCHA,
CRÉATEUR ET DIEU
SUPRÊME

INTI
Inti, le Soleil, est le dieu le plus important pour les Incas. Après la création, Inti envoie son fils Manco Capac régner sur terre et apporter aux hommes les bienfaits de la civilisation. Les empereurs incas, censés descendre de Manco Capac, sont honorés en tant que membres de la famille d'Inti. Inti est adoré dans l'immense temple du Soleil à Cuzco, la capitale de l'empire. C'est dans ce monument que sont déposées les momies des empereurs après leur mort. Les murs du temple sont revêtus d'or, matière qui, pour les Incas, représente la sueur du Soleil.

MAMA KILLA
Déesse de la Lune, Mama Killa est la sœur et l'épouse du dieu Inti. Elle veille sur la fertilité, le mariage et les femmes. À cause des différentes phases de l'astre, la déesse est aussi associée à l'écoulement du temps. Les Incas croient que pendant les éclipses de la Lune, particulièrement redoutées, un serpent gigantesque attaque Mama Killa. Pour le faire fuir, ils font beaucoup de bruit.

LE DIEU QUI PLEURE
La riche civilisation de Tiahuanaco, en Bolivie, a précédé l'Empire inca, qui lui a fait de nombreux emprunts. La grande porte du Soleil, taillée dans un monolithe, est l'un des principaux vestiges de la ville. Elle est ornée d'une image en relief du « Dieu qui pleure », qu'il faut sans doute identifier à Viracocha. La divinité tient dans ses mains levées un bâton de commandement. Sous ses yeux, des incisions évoquent les larmes. Du lac ou de la source formés par ses larmes serait sortie l'humanité.

VIRACOCHA
Viracocha, le Créateur et le dieu suprême des Incas, peuple d'abord le monde d'une race de géants qui lui désobéit. Il la punit en l'engloutissant sous les eaux, puis il la remplace par les hommes, qu'il façonne dans l'argile. Il les dépose dans des grottes ou des montagnes, dont ils sortent pour se répandre sur la Terre. Il fait ensuite jaillir le Soleil et la Lune du lac Titicaca, en Bolivie. Viracocha parcouru le monde pour instruire les hommes avant de disparaître dans l'océan Pacifique.

PACHA MAMA
Pacha Mama, Mère Terre, est largement vénérée par les Incas. Déesse qui donne la vie à tout ce qui existe sur la Terre, elle se place juste après Inti, le dieu du Soleil. Lorsqu'ils arrivèrent à Cuzco, les Incas virent planer au-dessus de la cité les poumons dilatés d'un lama, qui symbolisent la déesse. C'est pourquoi ils lui offrent cet animal en sacrifice. On lui présente aussi des feuilles de coca pour favoriser les récoltes ou porter bonheur lors de la construction d'une maison.

CHUICHU

Dieu de l'Arc-en-ciel, Chuichu est le serviteur d'Inti et de Mama Killa. Pour les Incas, dont les cultures dépendent largement des précipitations et de l'ensoleillement, un dieu comme Chuichu, qui apparaît lorsque le soleil et la pluie se combinent, est doté de grands pouvoirs.

ILLAPA

Dieu du Tonnerre, Illapa lance des pierres contre une immense jarre d'eau à l'aide de sa fronde. L'arme produit le bruit du tonnerre, et le projectile qui traverse le ciel crée les éclairs. L'eau qui s'écoule de la jarre brisée apporte la pluie. À ce dieu très important, on sacrifie parfois des enfants, victimes de choix.

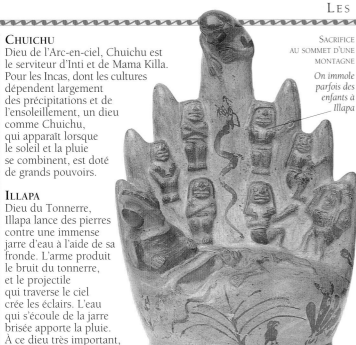

SACRIFICE AU SOMMET D'UNE MONTAGNE
On immole parfois des enfants à Illapa

LES DIVINITÉS DES ÉTOILES

En même temps que le Soleil et la Lune, Viracocha fait surgir du lac Titicaca des étoiles qu'il projette dans le ciel. Les Incas ont élevé nombre d'étoiles et de constellations au rang de divinités. Dans les dessins qu'elles décrivent dans le ciel, les Incas reconnaissent des animaux. Ainsi, Yacana est le lama.

ORCO CILAY

La constellation Orco Cilay, «Lama multicolore», veille sur les troupeaux de lamas des empereurs.

CHASKA QOYLOR

Chaska Qoylor, l'«Étoile poilue», est Vénus, l'étoile du matin. Servante du Soleil, elle est la protectrice des princesses et des jeunes filles.

LES PLÉIADES

La constellation des Pléiades, Collca ou «Grenier» pour les Incas, apporte la fertilité. Au printemps, vers le 15 avril, les Incas les regardent disparaître à l'horizon.

MAMA COCHA

Déesse de la Mer, des Eaux et de la Pluie, Mama Cocha est une figure éminente du panthéon inca. Elle est la sœur et l'épouse du créateur Viracocha, également associé à la pluie.

L'ÉMERGENCE

D'après les mythes incas, les premiers hommes ont émergé de trois cavernes situées à Paccari-Tambo, près de Cuzco. De la grotte centrale sont sortis les divins ancêtres des empereurs incas, et des deux autres sont sortis les fondateurs des clans incas. En cherchant une terre où s'établir, ils sont parvenus à Cuzco, où ils ont fondé une ville.

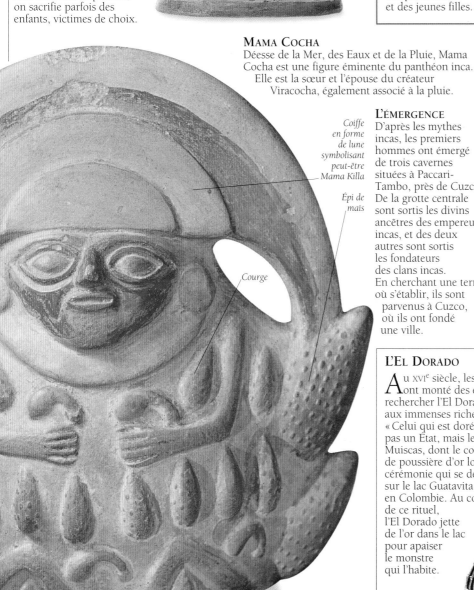

Coiffe en forme de lune symbolisant peut-être Mama Killa

Épi de maïs

Courge

DIVINITÉ INCA DE L'AGRICULTURE

LE LAMA

Le lama joue un rôle essentiel dans le mythe inca du Déluge. Arrivé dans le pâturage où l'emmène un paysan, le lama refuse de manger et annonce de terribles inondations. Il conseille à l'homme de se réfugier au sommet d'une montagne. Les eaux engloutissent tout sauf le paysan, qui est le seul survivant de la catastrophe.

LE LAMA FIGURE DANS LA LÉGENDE DU DÉLUGE

L'EL DORADO

Au XVIᵉ siècle, les conquistadors espagnols ont monté des expéditions pour rechercher l'El Dorado, royaume mythique aux immenses richesses. L'El Dorado, «Celui qui est doré», ne désigne en fait pas un État, mais le chef des Indiens Muiscas, dont le corps est saupoudré de poussière d'or lors d'une cérémonie qui se déroule sur le lac Guatavita, en Colombie. Au cours de ce rituel, l'El Dorado jette de l'or dans le lac pour apaiser le monstre qui l'habite.

LE RADEAU EN OR ÉVOQUE PEUT-ÊTRE LA CÉRÉMONIE DU LAC GUATAVITA

LES HUACAS

Pour les Incas, les huacas sont des éléments naturels – grottes, arbres, sources, pierres, montagnes – habités par un esprit. Ces esprits, empruntés à une religion antérieure à celle des Incas, sont honorés à côté d'Inti.

VOIR AUSSI

AZTÈQUES 108
MYTHE DE L'ÉMERGENCE 105
MAYAS 106

MYTHES DE LA CRÉATION 8
DIEUX ET DÉESSES 10
HÉROS ET TRICKSTERS 12
ANIMAUX ET PLANTES 16
Y A-T-IL UNE FIN ? 18

AFRIQUE

Berceau de l'humanité, l'Afrique a vu naître les premiers hommes il y a 3 à 4 millions d'années. Aujourd'hui, le continent africain est habité par une multitude de peuples qui présentent une très grande diversité culturelle. Ils sont les descendants des chasseurs-cueilleurs et des agriculteurs qui se sont répandus à travers cet immense territoire.

LES MYTHES

Malgré cette variété, la mythologie africaine possède des thèmes qui sont communs à bon nombre de peuples. C'est le cas par exemple du mythe de la Création, où intervient un démiurge qui se retire une fois son œuvre achevée. Le Serpent cosmique, les tricksters à forme animale, les esprits et les histoires de jumeaux sont également fréquents dans la mythologie de l'Afrique.

CHANGEMENT ET CONTINUITÉ

Les bouleversements qui ont affecté l'Afrique au XIXe et au XXe siècle, avec la colonisation, l'introduction d'un nouveau système économique et la diffusion des religions islamique et chrétienne, n'ont pas réussi à faire disparaître les mythes et les religions traditionnelles. Ceux-ci restent un élément essentiel de l'identité des peuples africains.

MASQUE DE SORCIER

LE RÔLE DU SORCIER

Dans un monde environné par les esprits, le sorcier est le personnage le plus important pour la religion traditionnelle. Couvert d'un masque et d'un costume particuliers, il danse au son des percussions et il entre en communication avec les esprits. Il jouit d'immenses pouvoirs, dont celui de guérir les malades.

LA CRÉATION DU MONDE

Les mythes de la Création, élaborés par les peuples d'Afrique, offrent un très large éventail. L'un d'eux, connu par diverses versions, fait surgir le Créateur d'un Œuf cosmique. Un autre considère que le monde et tous les êtres vivants proviennent du corps d'un Serpent primordial, souvent un python. Certains récits évoquent encore un Dieu suprême qui commence à façonner le monde, puis qui laisse à d'autres le soin de poursuivre son œuvre. D'autres relatent que les hommes sont tombés du ciel ou qu'ils sont les enfants de dieux qui ont fait un bref séjour sur terre avant de regagner le ciel, leur demeure. Beaucoup de cultures recourent aux mythes pour expliquer les causes des phénomènes naturels – des tempêtes à la sécheresse – qui conditionnent la vie des Africains. Elles s'adressent également à des divinités des eaux pour faire venir la pluie.

PEINTURE RUPESTRE MONTRANT
AMMA QUI TOMBE DES CIEUX

CALEBASSE

L'ŒUF COSMIQUE
La plupart des mythologies africaines attribuent la création du monde à un Être suprême ou à un ensemble de divinités qui naissent souvent d'un Œuf cosmique. Selon les Dogons du Mali, au commencement il y a Amma, un œuf géant qui remue et se brise. En s'ouvrant, il laisse sortir le Créateur, qui est un nommo (esprit), sa jumelle et quatre autres couples de nommos. Ces esprits créent le ciel, la Terre, le jour et la nuit, les quatre saisons et les hommes.

LE VAUDOU
Le vaudou (du mot fon *vodu*, « objet sacré », « être surnaturel ») est la religion de Haïti. Elle dérive des cultes tribaux de l'ouest de l'Afrique, terre d'origine des esclaves de l'île, auxquels se sont mêlés des éléments empruntés à la sorcellerie, à la magie et au catholicisme. Pendant les cérémonies vaudoues, les esprits (loas) possèdent les danseurs.

Fiche contenant les instructions pour activer le traitement

POUPÉE VAUDOU

ADANHU ET YEWA
Pour les Fons du Bénin, Adanhu et Yewa forment le premier couple humain. Lorsqu'ils arrivent sur terre, ils ne possèdent qu'une calebasse et un long bâton. Pendant sept ans, ils apprennent à leurs enfants à vénérer les dieux du ciel et à leur consacrer des offrandes. Puis, ils retournent au ciel.

LE BÉLIER DE LA TEMPÊTE
Au Togo, le Soleil est le maître d'un marché où vit un bélier qui fait résonner le tonnerre en frappant le sol avec ses sabots et qui zèbre le ciel d'éclairs en remuant la queue. Les boucles qui se détachent des poils de sa queue se transforment en pluie.

LES DIEUX DE LA TERRE
Le climat sec de l'Afrique est à l'origine de certains mythes. D'après les Fons, à la suite d'une querelle avec la Tempête, la Terre disparaît sous le sol. La Tempête, persuadée que la Terre a emporté le feu et l'eau, n'apporte plus de pluie et sème la désolation sur terre. Finalement, elle réalise que la Terre n'a ni feu ni eau. Elle lance alors des éclairs et fait tomber la pluie.

LA CALEBASSE
Courge ronde, la calebasse sert de récipient ou de hochet. Les Fons imaginent le cosmos comme une gigantesque calebasse et la Terre, comme une calebasse plus petite, qui flotte à l'intérieur tel un fruit plus petit. Coupée en deux, la coque de la calebasse symbolise le ciel et la Terre.

Représentations des dieux yorubas

COIFFE DE PERLES YORUBA

LES MYTHES FONS

Pour les Fons du Bénin, les démiurges sont deux dieux jumeaux, Mawu et Lisa. Ils engendrent sept paires de jumeaux qui règnent, par couple, sur la terre, la mer, les tempêtes et le fer. Chaque couple parle sa propre langue, connue seulement des dieux et de ses prêtres.

Mawu, déesse de la Lune

Nana Buluku dans la gueule du serpent

Lisa, dieu du Soleil

DA AYIDO HWEDO

NANA BULUKU
Nana Buluku, à la fois homme et femme, est le Créateur suprême. Après avoir créé le monde, il se retire sous la terre et laisse le contrôle de la création à d'autres divinités.

MAWU ET LISA
Les jumeaux Mawu et Lisa, enfants de Nana Buluku, sont les divinités suprêmes. Mawu, déesse de la Lune, vit à l'ouest et règne sur la nuit. Lisa, dieu du Soleil, vit à l'est et veille sur le jour. Unis à la faveur d'une éclipse, ils engendrent d'autres dieux.

DA AYIDO HWEDO
Créé pour aider Nana Buluku, Da Ayido Hwedo, le serpent Arc-en-ciel, soutient la voûte céleste. Il a une double nature. La partie rouge, associée à l'arc-en-ciel, est mâle et la partie bleue, femelle.

SHANGO
Avant de devenir le dieu de l'Orage des Yorubas, Shango a été un roi cruel et tyrannique, qui a poussé son peuple à la révolte. Exilé dans la forêt, Shango s'est pendu à un arbre. Les sujets qui lui sont demeurés fidèles refusent de croire à son suicide. Ils croient qu'il est monté au ciel et que le tonnerre et la foudre sont l'expression de sa colère. À sa mort, Oja, son épouse, est devenue le fleuve Niger.

SHANGO, DIEU DE L'ORAGE

OLUKUN, DIEU DE LA MER

OLUKUN

Olukun, dieu de la Mer des Yorubas, a des jambes en forme de queue de poisson. Il est paré de vêtements en corail et il tient des lézards dans la main. Il réside dans un vaste palais sous-marin où il est servi par des hommes et des poissons. Dans le panthéon des Yorubas, il occupe le second rang, après Orisha Nla, le Dieu créateur.

DÉESSE YORUBA DE LA TERRE ET DE LA FERTILITÉ

La déesse est mère de nombreux enfants

LES DIEUX FORGERONS

Beaucoup de peuples africains ont maîtrisé à la perfection la fonte et le travail du métal, comme en témoignent les magnifiques sculptures en bronze du Bénin, qui remontent au XVe ou au XVIe siècle. Les dieux forgerons tiennent une place importante dans leurs cultures. Ils participent à la création du monde et apprennent aux hommes à forger les métaux.

GU

Gu, le dieu forgeron des Fons, est le fils de Mawu et de Lisa. Ses parents l'envoient aménager la Terre afin qu'elle convienne aux hommes. Gu apporte aux hommes la civilisation, il leur apprend à se vêtir, à se nourrir et à travailler le métal.

GU, LE DIEU FORGERON

LE FORGERON DIVIN DOGON À CHEVAL

LE FORGERON DIVIN

Le dieu forgeron des Dogons veut travailler le métal, or il ne trouve pas de feu dans le ciel. Il dérobe alors un fragment du Soleil. Il quitte ensuite le ciel pour apporter aux hommes le feu et les techniques du travail du métal.

OGUN, DIEU DU FER DES YORUBAS

OGUN

Ogun, le dieu du Fer des Yorubas, collabore à la création du monde. Équipé d'une hache de fer, il ouvre un chemin pour les dieux à travers les sous-bois plus rapidement que les autres dieux munis d'outils de bronze. Pour le remercier, les divinités lui offrent une couronne. Ogun refuse, il préfère sa vie de chasseur.

LES DIEUX DES RIVIÈRES

Les esprits des rivières abondent en Afrique. Chez les Songhaïs, l'esprit Zin-kibaru vit dans le fleuve Niger. La nuit, ses serviteurs, des poissons, sortent de l'eau pour piller les rizières. Des légendes évoquent les esprits des serpents et des léopards qui attendent des offrandes de la part des hommes désireux de franchir les cours d'eau.

LES JUMEAUX

Selon le mythe de la Création des Dogons, un couple idéal de jumeaux, Amma, le Dieu créateur, et la Terre, engendrent les êtres vivants. Ils donnent d'abord le jour à un chacal fourbe, puis ils engendrent les deux jumeaux parfaits, les nommos ou esprits. Pour éviter que les êtres qui naissent seuls n'aient un caractère déséquilibré, comme le chacal, ils accordent aux hommes une âme double.

Jumeaux

DIEU CRÉATEUR DOGON

LA MORT

Le peuple Nuer du Soudan pense qu'à l'origine une corde reliait le ciel et la Terre et que les vieillards grimpaient sur cette corde pour recommencer leur vie. En coupant le lien, une hyène a empêché les hommes de rejoindre le ciel. L'animal a ainsi condamné l'humanité à mourir.

LA DÉESSE DE LA FERTILITÉ

La déesse de la Terre et de la Fertilité des Yorubas est l'épouse du Grand Dieu Obatala, également appelé Orisha Nla, qui l'a modelée. Elle est la mère d'Ogun, le dieu du Fer. Dans certains récits, elle est également la mère des Yorubas, originaires du Nigeria d'après les mythes.

LES ANIMAUX ET LES TRICKSTERS

Les animaux ont investi tous les domaines de la mythologie
africaine, des légendes de la création à celles qui expliquent
l'origine de la mort. Dans ces histoires, les animaux sont
souvent interchangeables. Alors que pour les Ilas (sud
de la Zambie) c'est une guêpe maçonne qui apporte le feu,
pour certains peuples pygmées ce sont les chimpanzés
qui allument la première flamme. Les animaux sont souvent
des tricksters, héros malins qui s'amusent aux dépens
des hommes mais qui leur sont souvent utiles. La mante
religieuse, le lièvre ou l'araignée, créatures sans grande force
physique, utilisent leur intelligence pour vaincre
leurs ennemis et surmonter les difficultés. Dans des régions
qui vivent sous la menace constante des serpents, des lions
ou des éléphants, elles montrent qu'il est possible
de survivre grâce à ses facultés intellectuelles et à la ruse.
Les histoires de tricksters comptent parmi les plus
distrayantes d'Afrique.

Chuku

Chien

Mouton

MYTHE IBO DE LA MORT

Coquille
d'escargot

ORISHA NLA

Le Créateur
des Yorubas donne à
Obatala, le Grand Dieu,
appelé aussi Orisha
Nla, une coquille
d'escargot qui renferme
de la terre, une poule
et un pigeon. Puis
il demande à Orisha
Nla d'assécher un
marécage. Orisha Nla
y parvient en le
recouvrant de terre
et en déposant dessus
les deux oiseaux,
qui nivellent le sol.
C'est ainsi qu'a été
créée la terre ferme.

CHUKU

Le créateur suprême des Ibos, Chuku, le Grand
Esprit, envoie un chien dire aux hommes
d'allonger les défunts sur le sol et de saupoudrer
leur corps de cendres afin qu'ils ressuscitent.
Mais le chien n'est pas assez rapide, aussi Chuku
dépêche-t-il sur terre un mouton. L'animal,
qui a mal retenu le message, demande
aux hommes d'enterrer les morts. C'est ainsi
que la mort est apparue sur terre.

LE PREMIER MEURTRE

Pendant qu'elle travaille, une femme ife (les
Ifes se rattachent aux Yorubas du Nigeria)
pose son enfant sur le sol. Le bébé pleure,
attirant un aigle qui déploie ses ailes au-dessus
de lui et le calme. La femme raconte ce
prodige à son époux, qui ne la croit pas. Elle
l'emmène alors assister à la scène. Lorsque
l'aigle apparaît, l'homme le vise avec son arc.
L'oiseau s'envole et la flèche tue l'enfant.

AIGLE D'OR ASHANTI

LA MALÉDICTION DES OISEAUX

Les oiseaux envient les belles plumes
noires du merle, qui leur promet
un plumage identique s'ils se plient à sa
volonté. Mais ils désobéissent,
ce qui provoque la malédiction
du merle. Celui-ci donne
à chaque volatile un aspect
différent. Il affuble
la pintade de plumes
mouchetées comme
le pelage du léopard afin
qu'elle soit dévorée par
ce félin. Seule la tourterelle
reçoit une collerette noire, que le merle
trace avec ses griffes.

PINTADE AU PLUMAGE MOUCHETÉ

Tortue

LE LIÈVRE ET LA TORTUE

Une tortue affirme à un lièvre qu'elle court
plus vite que lui. Elle triche en plaçant sa
femme au bout du chemin. Lorsque le
lièvre aperçoit la tortue au loin, il pense
que son adversaire a gagné et déclare forfait.

LA GUÊPE MAÇONNE

D'après les mythes ilas,
les animaux souffrent
du froid parce que le
feu n'existe pas. La
guêpe maçonne, un
vautour, un balbuzard
et un corbeau
s'envolent vers le ciel
pour aller chercher
du feu. Quelques jours
plus tard, les cadavres
des trois oiseaux
retombent sur la terre.
Mais la guêpe,
qui a réussi à atteindre
le ciel, s'empare du feu
du Grand Dieu
et le rapporte sur
Terre. Pour les Sans
(Bochimans), c'est
la mante religieuse
qui vole le feu.

LE LÉZARD ET LE CAMÉLÉON

Le mythe zoulou (Afrique australe) expliquant l'origine de la mort rappelle celui des Ibos et de leur dieu Chuku. Le Grand Dieu envoie un caméléon dire aux hommes qu'ils sont immortels. Mais l'animal flâne en chemin et passe son temps à se gorger de fruits. Le dieu le remplace par un lézard, à qui il confie une mission différente : annoncer aux hommes qu'ils sont mortels. Le lézard fait diligence. Il délivre son message et rentre chez lui alors que le caméléon n'est pas encore arrivé sur Terre. Les hommes croient le lézard et acceptent de mourir.

LE CAMÉLÉON PARESSEUX

CAGN

Cagn, mante religieuse, est le héros des Sans (Bochimans du désert du Kalahari). Il peut prendre l'apparence de n'importe quel animal et transformer ses sandales en chiens féroces qui attaquent ses ennemis. Lorsqu'on le tue sous une de ses formes animales, ses os se reforment et il revient à la vie.

Cagn changé en antilope

YORUGU

Le chacal Yorugu est le fils d'Amma et de la Terre, dieux des Dogons. Il apporte le Mal sur la terre et y sème le désordre. Il est le père de la plupart des esprits maléfiques qui peuplent la brousse.

LEGBA

Legba, dieu des Fons du Bénin, est le serviteur du dieu suprême. Il s'efforce d'obéir à son maître, mais il ne peut s'empêcher de jouer des tours qui le mettent en difficulté. Irrité, Legba demande à une vieille femme de lancer dans le ciel l'eau sale de sa lessive, ce qui oblige le dieu suprême à s'écarter et à s'éloigner de la Terre et de Legba.

On enfonce cet objet magique, associé à Legba, dans la terre

ESHU

Eshu est, pour les Yorubas, l'équivalent de Legba au Bénin. Messager des dieux et protecteur de l'humanité, il avertit les hommes lorsqu'ils mécontentent les dieux. Trickster, il s'amuse aux dépens des êtres humains, par exemple en brouillant des voisins liés par une longue amitié.

Instrument servant à invoquer Eshu

UNE ARAIGNÉE FARCEUSE

L'araignée Anansi est l'un des plus célèbres tricksters de l'Afrique de l'Ouest. Né homme, Anansi a été découpé en mille morceaux à la suite de l'un de ses tours. Depuis, il apparaît sous la forme de l'araignée qui envahit les maisons.

Les plaisanteries de l'homme-araignée Anansi n'épargnent pas les dieux.

Frelons piégés dans une calebasse

NYAME

Impressionné par Anansi qui lui rapporte toutes ces créatures, Nyame, le dieu suprême, déclare qu'il a réussi là où beaucoup ont échoué. Nyame offre ses histoires à Anansi : elles devront désormais s'appeler les Légendes de l'Araignée.

Léopard

UHLAKANYANA

Alors qu'il est dans le ventre de sa mère, le trickster zoulou Uhlakanyana informe celle-ci qu'il est prêt à venir au monde. Dès sa naissance, il s'éloigne et dérobe la viande réservée à ses aînés. Il déjoue ses ennemis grâce à de multiples ruses.

Poupée

Nyame, le Dieu suprême

ANANSI

Anansi veut faire siennes les histoires de Nyame, le dieu du Ciel. Nyame accepte de les lui céder s'il capture un python, un léopard, un essaim de frelons et l'esprit Mmoatia. Anansi et Aso, son épouse, ligotent le python à une branche, puis ils emprisonnent les frelons dans une calebasse. Ils piègent le léopard dans une fosse et ils attrapent Mmoatia en l'attirant avec une poupée badigeonnée de gomme.

Anansi et Aso ligotent le python à une branche

OCÉANIE

L'homme a commencé à prendre possession de l'Australie il y
a 50 000 ans. Il s'est ensuite répandu progressivement dans
les îles de Micronésie,
de Mélanésie
et de Polynésie.
La conquête
de l'ensemble de ces
territoires, qui forment
l'Océanie, a donné lieu
à de très longs voyages,
terrestres en Australie, maritimes pour les îles. Les traversées,
qui se sont effectuées d'île en île sur des radeaux, ont conduit
les hommes jusqu'aux îles Tonga il y a 3 000 ans, et à l'île
de Pâques vers 400 après J.-C.

LES MYTHES D'AUSTRALIE

Les aborigènes, regroupés dans des clans, accordent une grande
importance aux wandjinas (esprits ancestraux associés à des animaux),
qui veillent sur eux. Chaque tribu relate une partie du vaste périple
que ces héros ont entrepris à travers le continent
et la relie au récit élaboré par ses voisins.

LES MYTHES POLYNÉSIENS

La Polynésie, située à l'ouest de l'Australie,
de la Micronésie et de la Mélanésie, se compose
de milliers d'îles. Les mythes de cette région, qui est
la plus vaste d'Océanie, tentent d'expliquer
comment le cosmos a été créé et comment
les hommes sont parvenus dans ces îles
extrêmement éloignées.

STATUE DE L'ÎLE DE PÂQUES

L'AUSTRALIE

La mythologie des aborigènes se fonde sur le temps du Rêve, période au cours de laquelle leurs ancêtres ont vécu. C'est aussi à cette époque que la nature et les hommes ont pris leur aspect actuel. Au temps du Rêve, les ancêtres empruntent la forme d'une plante ou d'un animal et voyagent à travers le continent. Ils dessinent le paysage en façonnant les rivières, les plaines et les montagnes. Ils organisent la société et laissent derrière eux les esprits des hommes qui naîtront dans le futur. Les mythes des clans décrivent les exploits de ces héros ancestraux dans leur propre région. Le temps du Rêve n'est pas remisé dans l'histoire. Il existe toujours à travers les rituels religieux. Pendant ces cérémonies, les hommes jouent le rôle des ancêtres afin de revivre le voyage qu'ils ont jadis effectué à travers l'Australie.

UNGAMBIKULA

Deux ancêtres immortels, les Ungambikula, surgissent du néant et viennent à l'existence par eux-mêmes. En partie hommes, en partie animaux et en partie végétaux, ils parcourent le monde et découvrent les hommes, qui n'ont quitté qu'à moitié la forme de la plante ou de l'animal qui est leur ancêtre d'origine. À l'aide de couteaux de pierre, les Ungambikula sculptent la tête, le corps et les membres inachevés des hommes. Leur œuvre accomplie, ils sombrent dans un sommeil éternel.

Ungambikula sculptant le corps de l'homme

GOANNA

Les armes et autres instruments de chasse remontent au temps du Rêve. Goanna, un varan, a fabriqué le premier canoë avec l'écorce d'un arbre. Les varans, qui grimpent aux arbres, sont associés à l'écorce. Goanna a essayé plusieurs sortes de végétaux avant d'arrêter son choix sur le bambou.

PEINTURE SUR ÉCORCE REPRÉSENTANT LA CRÉATION

LE DÉLUGE

D'après les aborigènes, le Déluge a détruit le paysage et les hommes pour engendrer un monde nouveau. Selon les régions, cette catastrophe naturelle a été causée par Mudungkala, une femme aveugle, par un wandjina ou par le serpent Arc-en-ciel.

BAGADJIMBIRI

Les Karadjeris du nord-ouest de l'Australie appellent les deux frères qui sont leurs ancêtres Bagadjimbiri. Ils ont surgi de la terre sous la forme de dingos, puis se sont changés en géants pour créer les premiers hommes.

LA CRÉATION

L'apparition du Soleil est l'une des étapes essentielles de la Création. Dans le mythe de Groote Eylandt, le vent de l'est pousse l'étoile du Matin vers le monde, donnant ainsi naissance au jour. C'est alors que la terre, les roches, les animaux et les hommes apparaissent. Dans une autre légende, c'est la déesse du Soleil (Mère Soleil) qui est la source de la lumière et de la vie.

DJANGGAWUL

Les peuples du nord de l'Australie honorent une triade de dieux, deux sœurs et un frère, appelés Djanggawul. Ils ont modelé le paysage en utilisant des ranggas, ou bâtons sacrés.

PEINTURE FIGURANT UN WANDJINA

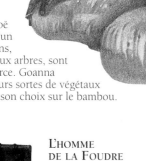

L'HOMME DE LA FOUDRE

De nombreux esprits du temps du Rêve sont associés à la pluie et à la foudre. Ils sont souvent représentés avec des haches, symboles des éclairs. Les Wardamans, peuple du Territoire-du-Nord, connaissent les frères de la Foudre. À Oenpelli, des peintures rupestres figurent l'homme de la Foudre, souvent appelé Wala-Undayne.

LES CHURINGAS

Les churingas sont des pierres ou des morceaux de bois décorés de peintures inspirées des événements du temps du Rêve. Les churingas représentent l'âme, c'est-à-dire le pouvoir spirituel que chaque personne hérite de son ancêtre. Les femmes et les hommes non initiés n'ont pas le droit de contempler ces œuvres particulièrement sacrées.

LES WANDJINAS

Les wandjinas sont les esprits ancestraux des aborigènes du district de Kimberley, dans l'ouest de l'Australie. Ils ont créé le monde et nommé les lieux, les animaux et les plantes. Ils sont venus du ciel avec la foudre, le tonnerre et la pluie. Offensés par un groupe d'enfants, ils déclenchent des pluies diluviennes qui engloutissent tout, sauf un garçon et une fille. Ils ont laissé leurs images peintes sur la roche.

PEINTURE SUR ÉCORCE REPRÉSENTANT L'HOMME DE LA FOUDRE

TOUT-PÈRE

Le dieu créateur des aborigènes du sud-est de l'Australie est Tout-Père. Il fait d'abord apparaître les animaux, qui ne sont pas satisfaits. Les poissons veulent sortir de l'eau, les insectes ne se trouvent pas assez gros. Tout-Père crée ensuite les hommes, à qui il accorde les vœux formulés par les animaux. La constellation de la Croix du Sud représente Tout-Père.

BILJARA (AIGLE FAUCON)

WAGU (CORNEILLE)

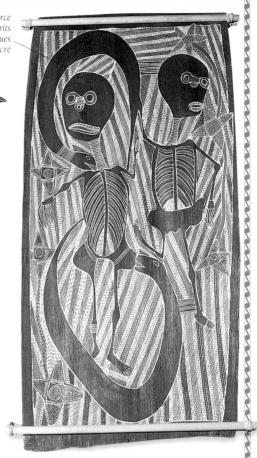

Peinture sur écorce figurant deux esprits mythiques et un serpent sacré

BILJARA

Biljara (aigle faucon) et Wagu (corneille) fixent les règles du mariage. Puis ils se disputent lorsque Biljara refuse de laisser Wagu épouser les deux jeunes filles placées sous sa protection.

LES FRÈRES GOBE-MOUCHES

Les frères Gobe-Mouches chassent un émeu près d'Uluru. Une jeune fille laisse tomber le récipient rempli de larves qu'elle a sur la tête et effarouche l'émeu. L'étourdie est changée en pierre. Aujourd'hui, lorsqu'on crie, la jeune fille semble répondre en écho.

WAGU

Après leur dispute, Wagu (corneille) tue le fils de Biljara (aigle faucon) et tente de faire accuser un innocent. Biljara, qui connaît la vérité, enterre le criminel avec son fils. Mais Wagu s'échappe. Biljara le brûle et rend son plumage noir. Wagu se venge de son ennemi en le transformant en oiseau.

LES SŒURS WAWILAK

Le mythe de la création des Yolngu, du nord-est de la terre d'Arnhem, fait intervenir deux ancêtres, les sœurs Wawilak. Elles parcourent le pays en nommant les plantes, les animaux, les rochers et les points d'eau.

ULURU

Au cœur de l'Australie, un colossal rocher de grès rose surgit du désert aride. C'est Uluru (Ayers Rock), l'un des sites les plus sacrés des peuples aborigènes. Il a inspiré de nombreux mythes. La base du rocher et ses grottes sont ornées de multiples peintures rupestres.

LE SERPENT ARC-EN-CIEL

Le serpent Arc-en-ciel est un esprit qui participe à la création et veille sur la fertilité. Les traces qu'il imprime dans le sol en se déplaçant forment le lit des rivières. Lorsqu'on le traite bien, il dort. Si on l'offense, il provoque tempêtes et inondations.

YURLUNGGUR

Le serpent Yurlunggur vit dans un étang que salit un jour l'une des sœurs Wawilak. Furieux, Yurlunggur avale les sœurs et leurs fils, et il provoque une terrible inondation. Quand les eaux se retirent, il les recrache. À l'endroit où se sont déroulés ces événements, les Yolngu célèbrent les cérémonies d'initiation qui consacrent le passage de l'adolescence à l'âge adulte.

Le géant Luma Luma se transforme en baleine

Âme voyageant dans le monde des morts

LUMA LUMA

Le géant Luma Luma se transforme en baleine pour traverser la mer. Lorsqu'il arrive en terre d'Arnhem, il apprend aux Gunwinggus à peindre et à exécuter les danses rituelles. Les hommes le tuent parce qu'il garde le meilleur de la nourriture pour lui-même. Il ressuscite et retourne à la mer.

BAMAPANA

Bamapana, un ancêtre qui vit sous terre, sort un jour de chez lui pour chasser le kangourou. Alors qu'il se prépare à jeter sa lance, le soleil se couche. Bamapana découvre la nuit. Le lendemain, il est tellement impressionné par le lever du soleil qu'il convainc son peuple de venir vivre à la surface de la terre.

LA MORT

D'après de nombreux mythes, ce sont les agissements d'un ancêtre qui sont à l'origine de l'apparition de la mort sur la Terre. Pour les Wororas du district de Kimberley, Widjingara est le premier mort. Il est tué par les wandjinas qu'il veut empêcher d'enlever une femme, puis il ressuscite. Indigné par l'accueil que lui réserve sa femme, Python à tête noire, il retourne dans sa tombe. Les hommes perdent la possibilité de se régénérer et deviennent mortels.

LA POLYNÉSIE

Composée de milliers d'îles, la Polynésie décrit un immense triangle limité par Hawaii au nord, la Nouvelle-Zélande au sud, l'île de Pâques à l'est. Avant l'exploration de cette partie du monde par les Européens, les hommes sont passés d'île en île. Ils ont adopté des modes de vie aussi différents que ceux des vastes communautés agricoles d'Hawaii et de la Nouvelle-Zélande ou ceux des groupes de chasseurs-cueilleurs des petites îles. Tous possèdent leur propre mythologie et leurs rituels religieux. Ces peuples, qui ont traversé la mer pour conquérir les îles, ont imaginé beaucoup d'histoires évoquant des créatures venues de l'océan. La séparation de la Terre, femelle, et du Ciel, mâle, au commencement du monde, est aussi un thème qui revient fréquemment.

TANGAROA
Fils aîné de Rangi et de Papa, Tangaroa est le dieu de la Mer, des Poissons et des Reptiles. Dieu violent, il maltraite la terre avec ses marées. Il déchaîne les tempêtes pour engloutir les hommes et les animaux et les emmener dans son royaume sous-marin. D'autres récits polynésiens le dépeignent comme un dieu créateur, parfois appelé Ta'aroa.

TANE
Tane, le dieu des Forêts, s'aide de son tronc et de ses branches gigantesques pour séparer Rangi et Papa. Avant de modeler son épouse, la première femme, avec du sable, il s'unit aux arbres et aux plantes. Il donne ainsi naissance à toutes sortes de monstres, serpents et dragons.

TANGAROA, DIEU DE LA MER, DES POISSONS ET DES REPTILES

Yeux fixes

La langue tirée évoque la parole

SÉPARATION DE RANGI, PÈRE CIEL, ET DE PAPA, MÈRE TERRE

RANGI
Rangi, père Ciel, est l'une des deux divinités créatrices et suprêmes des Maoris de Nouvelle-Zélande. Au commencement, Rangi enlace si fermement Papa, la déesse de la Terre, son épouse, qu'il empêche la naissance des dieux enfermés dans le ventre de leur mère. Les enfants réussissent à les séparer. Rangi verse des larmes qui se changent en pluie.

HINA
Hina (la fille), est la déesse de la Lune et la grande déesse des Polynésiens. Elle revêt plusieurs aspects. Elle est l'épouse du trickster Maui, à qui elle prête ses cheveux pour qu'il attrape le Soleil au lasso. Elle est aussi l'épouse, modelée dans du sable (Hine-hau-one), de Tane, ou celle de Tangaroa. Quand celui-ci se met en colère, elle va sur la Lune.

Hina

PAPA
Papa, mère Terre, est l'épouse de Rangi et la seconde divinité suprême des Maoris. Quand Rangi et Papa sont arrachés l'un à l'autre, la chair de la déesse vire au rouge sang. Après leur séparation, les dieux que Papa porte dans son ventre se répandent sur la terre et apportent la vie.

Maui pêche les îles au fond de la mer

Le Soleil ralentit sa course, les jours s'allongent

Maui utilise une corde tressée avec la chevelure de sa femme pour attraper le Soleil

MAUI
Maui est le plus célèbre trickster de la Polynésie. À sa naissance, il est si petit et si frêle que sa mère le jette dans l'océan. Il survit et devient un héros. Il plonge au fond de la mer pour remonter les îles polynésiennes à la surface, il ralentit la course du Soleil afin de rallonger les jours et il rapporte le feu du monde souterrain.

HINE-NUI-TE-PO
Hine-nui-te-po, géante maorie et déesse de la Mort, est l'une des formes d'apparition de Hina. Lorsque Maui essaie de traverser son corps, elle s'éveille et le tue. Depuis, les hommes meurent.

HAUMEA
Haumea, déesse hawaïenne des Naissances, possède un verger planté d'arbres qui engendrent diverses créatures telles que des cochons ou des poissons. Haumea, qui renaît sans cesse, se régénère constamment.

HINE-TEI-WAUIN, PROTECTRICE DES ACCOUCHEMENTS

HINE-TEI-WAUIN
Sous le nom de Hine-tei-wauin, la déesse Hina veille sur les accouchements. Elle s'éprend d'un mortel et conçoit un enfant avec lui. Elle invente une formule magique pour faciliter son accouchement, qui est difficile. Jusqu'au début du XXᵉ siècle, les femmes de Nouvelle-Zélande ont récité cette incantation.

PELE

La dangereuse Pele est la déesse hawaïenne du Feu, des Volcans et de la Foudre.
Elle descend sur Terre pour épouser Lohiau, un jeune chef.
Responsable de la foudre et des éruptions volcaniques, elle évolue dans le ciel et sous la terre. Impétueuse, elle ne supporte pas l'admiration de ses sœurs pour Lohiau et elle les détruit tous par le feu. Dans certaines versions, Lohiau ressuscite et s'unit à une sœur de Pele. Dans d'autres, seule Pele reste vivante.

LONO

Lono est le dieu hawaïen du Ciel, de la Paix et de l'Agriculture. Tous les ans, pendant la saison des pluies, en hiver, il vient sur terre. Pendant quatre mois, les Hawaïens célèbrent en son honneur les fêtes de Makihiki. Au cours de celles-ci, ils portent son effigie à travers l'archipel en suivant un itinéraire précis. Ce rituel vise à favoriser les récoltes. À la fin de l'hiver, Lono « meurt » ou regagne pour huit mois Kahiki, son royaume invisible, et cède la place au dieu Ku.

STATUETTE EN BOIS DE PELE, DÉESSE DU FEU

Ku,
DIEU
HAWAIIEN
DE LA
TERRE
ET DE LA
GUERRE

Expression féroce

KU

Ku (Tu en Polynésie) est le dieu hawaïen de la Terre et de la Guerre. Chaque année, pendant huit mois, il fait l'objet d'un culte qui succède à celui de Lono. Figuré avec une expression féroce, Ku encourage les hommes à se quereller et à se jalouser les uns les autres. Il participe à la formation du monde aux côtés du dieu créateur Kane (Tane en Polynésie) et de sa bienveillante contrepartie, Lono.

PANNEAU EN BOIS
SCULPTÉ

Humains et esprits se mêlent

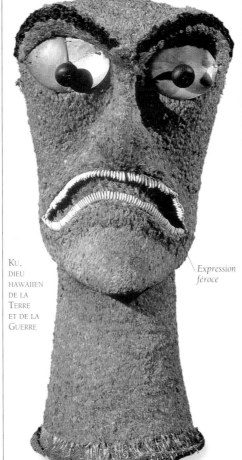

ORO

Oro est le dieu tahitien de la Guerre. Il aime les conflits et le sang qui coule. Il accompagne les hommes au combat. Seuls les sacrifices humains l'apaisent. En temps de paix, il se montre plus pacifique. On l'appelle alors Oro-i-te-tea-moe, « Oro dont la lance est baissée ».

VANNERIE ASSOCIÉE AU DIEU
TAHITIEN DE LA GUERRE

LA NOIX DE COCO

Pour les Mangaïas des îles Cook, l'Univers se trouve à l'intérieur d'une immense noix de coco. Vari, le dieu suprême, habite au fond de la coque. Au-dessous se trouve Take, Racine de toute vie. D'autres Polynésiens imaginent que le monde a la forme d'une coque ou d'un œuf.

Œil en obsidienne

VARI

Vari est le dieu créateur des Mangaïa. Son nom signifie « boue ». On croit qu'il vit au fond de l'immense noix de coco et qu'il est la matière à partir de laquelle la vie s'est développée.

TAKE

Take, la Racine de toute vie, est la tige de la noix de coco cosmique où réside Vari. Toutes les créatures tirent leur vitalité de Take.

L'ÎLE DE PÂQUES

La petite île de Pâques, située à l'extrémité est du triangle polynésien, est célèbre pour ses statues géantes (moai). Les colosses, à la tête rectangulaire et au nez bien marqué, se dressent sur des plates-formes, érigées sur la côte, qui servaient de sanctuaires (ahu). Les effigies représentent les dieux du clan et ses ancêtres, qui sont des chefs divinisés. Le culte qu'on leur rend forme le fondement de la civilisation pascuane.

STATUETTE MOAI KAVA-KAVA
EN BOIS FIGURANT UNE DIVINITÉ
SECONDAIRE

LES ESPRITS

Les peuples du Pacifique pensent être entourés d'esprits. Les esprits sont partout, aussi bien dans les étoiles que dans les fissures rocheuses. D'après un mythe, ils sortent la nuit. Ils dansent à la lumière de la lune en l'honneur de Tau-titi, le fils de Miru, reine des Esprits. Dans d'autres légendes ils se mêlent aux mortels, comme en témoigne cette sculpture maorie.

INDEX

REMERCIEMENTS

L'auteur tient à remercier :
L'équipe de PageOne, qui a contribué à la conception et à l'édition de cet ouvrage ; Neil Philip, qui a généreusement partagé ses connaissances et sa bibliothèque ; John Brooks, pour son soutien ; Zoe Brooks pour son inspiration, ses conseils et sa compréhension.

PageOne tient à remercier :
Neil Philip pour son soutien et ses conseils ; Robert Graham, pour sa précieuse documentation ; Frances Vargo, pour ses recherches iconographiques ; notre auteur Phil Wilkinson, pour sa patience et son travail rigoureux ; Steve Wooster pour sa conception graphique.

Photographies : Peter Anderson, Geoff Dann, Andreas von Einsiedel, Lynton Gardiner, Christi Graham, Peter Hayman, Alan Hills, Ellen Howden, Colin Keates, Nick Nicholls, James Stevenson, Michel Zabé.
Illustrations : Nilesh Mistry ; conception des cartes : John Woodcock.

Les éditeurs souhaitent remercier les personnes et institutions suivantes qui leur ont aimablement permis de reproduire leurs photographies :

h = haut ; b = bas ; c = centre ; d = droite ; g = gauche

hg = haut gauche ; hc = haut centre ; hd = haut droite ; hdb = haut droite bas ; bc = bas centre ; hcd = haut centre droite ; hcg = haut centre gauche ; chg = centre haut gauche ; ch = centre haut ; cdh = centre droite haut ; cg = centre gauche ; cd = centre droite ; cgb = centre gauche bas ; cb = centre bas ; cdb = centre droite bas ; bg = bas gauche ; b = bas ; bc = bas centre ; bd = bas droite ; bgh = bas gauche haut ; bch = bas centre haut ; bdh = bas droite haut ; bgb = bas gauche bas ; bcb = bas centre bas ; bdb = bas droite bas ; bcr = bas centre droite ; bcg = bas centre gauche.

Couverture
Akg London : première c, quatrième hcg ; Amnh : quatrième bc ; Ancient Art and Architecture : quatrième hcd, bgh, rabat jaquette quatrième b ; British Museum : première cgb, cdh ; CM Dixon : quatrième bcd ; E.t. Archive : h ; Mary Evans Library : première hd, hg, quatrième bcg ; Glasgow Museum : première cg, quatrième cdb, bd, cdh ; Michael Holford : quatrième hc, hdb ; Images Colour Library : quatrième chg ; Inah : quatrième cd ; National Maritime Museum : première chg ; National Museums of Scotland : quatrième chg ; Peter Newark's Pictures : première bg ; Werner Forman Archive : quatrième bg, rabat jaquette première b.

Museum Aivi gallen-Kallela : 86 g, 86 b, 87 c, 87 hd ; Akg London : Archaeological Museum, El Djem 59 ch, 66 hd ; Archaeological Museum, Istanbul 23 cg ; Archiv f. Kunst & Geschichte, Berlin 64 bd, 75 bg ; Bibliothèque nationale, Paris 71 cg, 74 cd, 77 bd ; British Museum, Londres 15 c, 70 hd ; Digdiggah bei Ur, Fundort 25 cg ; Folk Art Museum, Moscou 14 bg ; Kunsthistorisches Museum, Vienne 12 cg ; Manor House, Rjdigsdorf 62 hd ; musée des Beaux-Arts, Lyon 60 bg ; musée des Beaux-Arts et d'Arch., Rennes 66 bd ; musée du Louvre, Paris 25 c, 26 ch, 35 c, 59 bg, 67 hg, 71 cd ; musée Guimet, Paris 38 c ; Museo Archaeologico Nazionale ; Aquileia 58 bd ; Museo Archeologico, Florence 67 b, 77 hg, 126/127 ; Museo dell'Opera del Duomo, Orvieto 72 bd ; Museo National de Arqueologia, Guatemala 108 hd ; Museum of Fine Arts, Boston 66 chg ; Museum of Mankind, Londres 123 hc ; Museum, Olympia 70 bd ; National Museum of Archaeology, Naples 61 tr, 63 hc ; National Museum, Damas, 25 bd ; Palazzo Salviati, Florence 73 cg ; Collection de Reuben et Edith Hecht, Haifa University 27 chg ; Rijksmuseum, Amsterdam 61 cg ; Rockerfeller Museum, Jerusalem 4 cg, 27 hd ; Smpk, Aegyptisches Museum, Berlin 52 c ; Staal Antikenslg. & Glyptothek,

Munich 4 hg, 59 hd, 64 c ; Teotihuacan, Mexico 106 bc ; Vatican Museums, Rome 75 hd ; Vojvodjanski Museum 88 hd ; American Museum of Natural History : 3 c, 101 c, 105 hd, 102 cg, 102 bd, 103 cd ; Ancient Art & Architecture Collection : 2 hd, 9 bg, 10/11 c, 13 hg, 14 hg, 17 bd, 22 bc, 24 cd, 31 b, 34 cdh, 4 c, 35 b, 52 cd, 56 cg, 76 hd, 90 hd, 94/95, 95 b, 119 b ; Aquila Photographics : J. J. Brooks 121 hg ; Ashmolean Museum 47 hd, 40 b, 49 bc ; Asian Art Museum of San Francisco : 39 bd ; Axiom : 86 cd ; Bildarchiv Preussischer Kulturbesitz : 13 hd, 50 hc, 62 cg, 69 bd, 69 cg ; Alfredo Dagli Orti 55 b ; Bridgeman Art Library, Londres : Agnew & Sons, Londres, 70 bg ; Bibliothèque Nationale, Paris 68 bd ; Bonhams, Londres 114 bc, 122 bd ; Bradfird Art Galleries and Museums, West Yorkshire 92 g ; British Library, Londres 63 hd, 70 cg ; British Museum, Londres 24 hd, 76 hd ; Fitzwilliam Museum, University of Cambridge 31 g, 38 bd ; Gavin Graham Gallery, Londres 85 c ; Hermitage, Saint Pétersbourg 76 c ; Johnny van Haeften Gallery, Londres 73 b ; Lady Levert Art Gallery, Merseyside 93 bd ; Loggia dei Lanzi, Florence 64 hd ; musée des Arts d'Afrique et Océanie, Paris 118/119 ; musée du Louvre, Paris 21 b, 28/29, 56 bd, 62 bd ; Museo Archaeologico, Venise 68 cg ; Museum of Mankind, Londres 123 hd ; National Archaeological Museum, Athènes 59 cd ; National Gallery, Londres 60 chg, 61 cg ; National Museum of Iceland, Reykjavik 83 hg ; National Museum of India, New Delhi 11 hg, 40 cd, 42 bg, 42 hd, 43 bd, 46 d ; National Museums & Galleries on Merseyside 4 bd, 59 hg ; Oriental Museum, Durham University 38 bg, 41 bg, 128 c ; Osterreichische Galerie, Vienne 93 cd ; Palazzon del Te, Mantoue 63 bg ; Philipps, The International Fine Art Auctioneers 59 cb ; Pierpont Morgan Library, New York 92 cd ; Private collection 41 hd, 111 bg, 121 bd ; Royal Library, Copenhague 8 hg, 82 hd, 84 cg ; Collection Stapleton, UK, 74 bg ; The De Morgan Foundation, Londres 77 bg ; Vallée des Rois, Thèbes 18 hd ; Victoria & Albert Museum, Londres 2 cd, 24 cdb, 29 b, 34 bg, 35 hd, 35 g, 45 b, 57 hg, 108 bc, 122 hd ; BM cg, 22 bg, 22 bcd, 23 hd, 48 bd, 64 hc, 66 cg, 71 bc, 77 hd, 77, hc ; Jean-Loup Charmet 89 hg ; Bruce Coleman Ltd 99 bd, 117 hd ; Danske Kunstindustri museet 2 hc, 81 c ; Danish National Museum 81 c ; CM Dixon 26 bd, 26 c, 27 hd, 90 c, 90 cd, 90 cg, 102 hd, 115 hg ; E.T. Archive 2 bd, 43/44, 49 hc, 50 bd, 56 bg, 60 hd, 60 cd, 61 hg, 61 b, 68 cdh, 70 c, 71 hd, 73 bd, 74 hd, 76 bd, 78/79, 113 b, 115 hd ; Mary Evans Picture Library 9 bd, 12 hd, 40 bg, 46 cg, 47 cg, 47 bc, 47 hg, 47 cd, 49 hd, 49 cg, 49 cd, 68 hd, 71 c, 81 hd, 81 cd, 91 cd, 92 hd, 92 bc, 93 hg, 93 bg ; Exeter Museum 114 hc ; Galaxy Picture Library : Michael Stecker 111 hd ; Photographie Giraudon 6/7, 12 bd, 54/55, 69 hg, 71 hg, 74 c, 75 hg ; Glasgow Museum (St Mungo) 40 cg, 41 bd, 58 hd, 97 bg ; Sonia Halliday Photographs 57 cd, 57 bg, 75 bd, 84 hd ; Robert

Harding Picture Library 112 c ; David Jacobs 121 chg ; Michael Holford : British Museum 1 c, 2 bg, 4 chg, 4 cgb, 8 c, 10 bg, 11 bd, 16 hd, 17 hd, 20/21, 23 cd, 25 bg, 30 h, 30 bd, 31 bd, 34 bd, 35 hd, 50 cd, 52 hd, 53 cd, 57 hd, 65 cg, 65 cd, 66 cd, 72 cg, 73 h ; Horniman Museum 18 g, 18 bd ; musée du Louvre, Paris 52 g, 56 c ; musée Guimet 37 b ; Victoria & Albert 15 bg, 19 bg, 36/37, 51 bg, 51 hd, 51 c ; Image Colour Library 2 hg, 48 hd, 84 bc, 84 bg, 85 bg ; INAH 13 bd, 106 cd, 107 hd, 107 hc, 108 bd, 109 bg ; Larousse 87 c, 87 cg, 88 b, 88 bg, 88 bd, 89 hd ; Manchester Museum 34 hd ; musée de l'Homme 115 chg, 123 hg ; J. Oster 108 bg, 109 hc ; National Museum of Scotland 16 bg, 108 c, 48 cg ; Natural History Museum, Londres 100 hd, 105 cd, 121 cgb ; Peter Newark's Pictures 98 hd, 100 b, 101 bg, 103 hd, 104 hd ; National Museums & Art Galleries on Merseyside 67 hd ; Anne & Bury Peerless 5 h, 42 hg, 43 hd, 43 bg ; Pitt Rivers Museum, Oxford 120 hd ; Réunion des musées nationaux : Richard Lambert 39 hd ; Royal Museum of Scotland 111 hg ; Scala 62 cd, 63 hg, 69 bg, 72 hd ; South American Pictures 107 c g, 110 hd, 110 c, 111 bd ; Statens Historika Museum 83 hc ; Tony Stone Images 96 hd ; V & A Picture Library : M. Kitcatt 40 c ; Werner Forman Archive 17 cg, 63 cdb, 109 hg, 114 cg, 124/125 ; Auckland Institute and Museums, Auckland 122 cg ; Ben Heller Collection, New York 114 bg, 117 c ; British Museum, Londres 17 bg, 56 cd, 96 chg, 106 hd ; Courtery Entwistle Gallery, Londres 123 bg ; Dallas Museum of Art 115 c ; David Bernstein, New York 108 cg ; Egyption Museum, Turin 30 l, 31 c ; Field Museum of Natural History, Chicago 101 bc ; Glenbow Museum, Calgary, Alberta 101 cd ; Iraq Museum, Bagdad 24 bc ; Liverpool Museum, Liverpool 8 bg, 9 hd ; Mr and Mrs John A. Putnam 102 cd ; Museo Archaeologico Nazionale, Naples 57 cg ; Museo Nationale Romano, Rome 76 bd ; Museum für Volkerkunde, Bâle 19 hg ; Museum für Volkerkunde, Berlin 106 bg, 107 hg, 110 cg ; Museum für Volkerkunde, Hambourg 106 cg ; Museum of Anthropology, University of British Columbia 16 cg, 103 hg ; Museum of the American Indian, Heye Foundation, New York 100 cg, 101 hd ; National Gallery, Prague 38 hd ; National Museum of Ireland 91 c ; National Museum, Copenhague 79 b, 83 hd, 90 b ; Nick Saunders 7 b ; P. Goldman Collection, Londres 114 bd ; Pigorini Museum of Prehistory and Ethnography, Rome 106 c ; Private Collection 15 hg, 117 cd ; Private Collection, New York 109 cdh, 115 bd, 120 bd, 121 hd ; Private Collection, Prague 120 bg ; Provincial Museum, Victoria, British Columbia 14 c ; Schimmel Collection, New York 10 hg ; Schindler Collection, New York 104 cg ; Smithsonian Institute, Washington 97 bd, 105 hc ; St. Louis Art Museum, USA 11 hd ; State Museum, Berlin 23 bd ; Statens Historiska Museum, Stockholm 19 cd ; Tara Collection, New York 115 bg ; Jerry Young 116 bcg.